普通高等教育"十一五"国家级规划教材

北大版对外汉语教材·基础教程系列

Boya Chinese

博雅汉语

准中级
加速篇 I

李晓琪 主编
黄立 钱旭菁 编著

北京大学出版社
PEKING UNIVERSITY PRESS

图书在版编目(CIP)数据

博雅汉语　准中级　加速篇 Ⅰ/李晓琪主编. —北京：北京大学出版社，2004.9
（北大版对外汉语教材·基础教程系列）

ISBN 978-7-301-07530-2

Ⅰ. 博… Ⅱ. 李… Ⅲ. 汉语—对外汉语教学—教材　Ⅳ. H195.4

中国版本图书馆 CIP 数据核字（2004）第 057670 号

书　　　　名：**博雅汉语　准中级　加速篇 Ⅰ**
著作责任者：李晓琪　主编　黄立　钱旭菁　编著
责 任 编 辑：宋立文
标 准 书 号：ISBN 978-7-301-07530-2 / H·1030
出 版 发 行：北京大学出版社
地　　　　址：北京市海淀区成府路 205 号　　100871
网　　　　址：http://cbs.pku.edu.cn
电　　　　话：邮购部 62752015　　发行部 62750672　　编辑部 62752028
电 子 信 箱：zpup@pup.pku.edu.cn
印 刷 者：北京中科印刷有限公司
经 销 者：新华书店
　　　　　　787 毫米 × 1092 毫米　　16 开本　　16 印张　　296 千字
　　　　　　2004 年 9 月第 1 版　　2010 年 9 月第 8 次印刷
印　　　　数：28001—32000
定　　　　价：54. 00 元（含 MP3 盘 1 张）

前　言

　　语言是人类交流信息、沟通思想最直接的工具，是人们进行交往最便捷的桥梁。随着中国经济、社会的蓬勃发展，世界上学习汉语的人越来越多，对各类优秀汉语教材的需求也越来越迫切。为了满足各界人士对汉语教材的需求，北京大学一批长期从事对外汉语教学的优秀教师在多年积累的经验之上，以第二语言学习理论为指导，编写了这套新世纪汉语精品教材。

　　语言是工具，语言是桥梁，但语言更是人类文明发展的结晶。语言把社会发展的成果一一固化在自己的系统里。因此，语言不仅是文化的承载者，语言自身就是一种重要的文化。汉语，走过自己的漫长道路，更具有其独特深厚的文化积淀，她博大、她典雅，是人类最优秀的文化之一。正是基于这种认识，我们将本套教材定名为《博雅汉语》。

　　《博雅汉语》共分四个级别——初级、准中级、中级和高级。掌握一种语言，从开始学习到自由运用，要经历一个过程。我们把这一过程分解为起步——加速——冲刺——飞翔四个阶段，并把四个阶段的教材分别定名为《起步篇》(Ⅰ、Ⅱ)、《加速篇》(Ⅰ、Ⅱ)、《冲刺篇》(Ⅰ、Ⅱ)和《飞翔篇》(Ⅰ、Ⅱ、Ⅲ)。全套书共九本，既适用于本科的四个年级，也适用于处于不同阶段的长、短期汉语进修生。这是一套思路新、视野广，实用、好用的新汉语系列教材。我们期望学习者能够顺利地一步一步走过去，学完本套教材以后，可以实现在汉语文化的广阔天空中自由飞翔的目标。

　　第二语言的学习，在不同阶段有不同的学习目标和特点。《博雅汉语》四个阶段的编写既遵循汉语教材的一般性编写原则，也充分考虑到各阶段的特点，力求较好地体现各自的特色和目标。、

起步篇

　　运用结构、情景、功能理论，以结构为纲，寓结构、功能于情景之中，重在学好语言基础知识，为"飞翔"做扎实的语言知识准备。

加速篇

运用功能、情景、结构理论，以功能为纲，重在训练学习者在各种不同情景中的语言交际能力，为"飞翔"做比较充分的语言功能积累。

冲刺篇

以话题理论为原则，为已经基本掌握了基础语言知识和交际功能的学习者提供经过精心选择的人类共同话题和反映中国传统与现实的话题，目的是在新的层次上加强对学习者运用特殊句型、常用词语和成段表达能力的培养，推动学习者自觉地进入"飞翔"阶段。

飞翔篇

以语篇理论为原则，以内容深刻、语言优美的原文为范文，重在体现人文精神、突出人类共通文化，展现汉语篇章表达的丰富性和多样性，让学习者凭借本阶段的学习，最终能在汉语的天空中自由飞翔。

为实现上述目的，《博雅汉语》的编写者对四个阶段的每一具体环节都统筹考虑，合理设计。各阶段生词阶梯大约为 1000、3000、5000 和 10000，前三阶段的语言点分别为基本覆盖甲级，涉及乙级——完成乙级，涉及丙级——完成丙级，兼顾丁级。飞翔篇的语言点已经超出了现有语法大纲的范畴。各阶段课文的长度也呈现递进原则：600 字以内、1000 字以内、1500～1800 字、2000～2500 字不等。学习完《博雅汉语》的四个不同阶段后，学习者的汉语水平可以分别达到 HSK 的 3 级、6 级、8 级和 11 级。此外全套教材还配有教师用书，为选用这套教材的教师最大可能地提供方便。

综观全套教材，有如下特点：

针对性：使用对象明确，不同阶段采取各具特点的编写理念。

趣味性：内容丰富，贴近学生生活，立足中国社会，放眼世界，突出人类共通文化；练习形式多样，版面活泼，色彩协调美观。

系统性：词汇、语言点、语篇内容及练习形式体现比较强的系统性，与HSK 协调配套。

科学性：课文语料自然、严谨；语言点解释科学、简明；内容编排循序渐进；词语、句型注重重现率。

独创性：本套教材充分考虑汉语自身的特点，充分体现学生的学习心理与语言认知特点，充分吸收现有外语教材的编写经验，力求有所创新。

我们希望《博雅汉语》能够使每个准备学习汉语的学生都对汉语产生浓厚的兴趣，使每个已经开始学习汉语的学生都感到汉语并不难学。学习汉语实际上是一种轻松愉快的体验，只要付出，就可以快捷地掌握通往中国文化宝库的金钥匙。我们也希望从事对外汉语教学的教师都愿意使用《博雅汉语》，并与我们建立起密切的联系，通过我们的共同努力，使这套教材日臻完善。

我们祝愿所有使用这套教材的汉语学习者都能取得成功，在汉语的天地自由飞翔！

最后，我们还要特别感谢北京大学出版社的郭荔编审和其他同仁，谢谢他们的积极支持和辛勤劳动，谢谢他们为本套教材的出版所付出的心血和汗水！

李晓琪
2004 年 6 月于勺园
lixiaoqi@pku.edu.cn

编 写 说 明

　　本书是《博雅汉语》系列精读教材的准中级部分——《加速篇》，适合基本掌握汉语甲级词汇和语法的学习者使用。学习者学完本篇以后，汉语水平可以达到 HSK 5 级至 6 级。

　　本书的主要目标正如其篇名"加速"所表达的一样——学习者在学习本教材的过程中汉语水平能够加速发展。即：有效扩大汉语词汇量、巩固和增加汉语语法语用知识、加深对中国社会和文化的了解、快速提高汉语交际技能。

　　为了达到上述目标，本书提供与本阶段学习者水平相适应、篇幅长短适度的语言材料，引导学习者在阅读理解课文的过程中获得汉语言文化知识的有效输入。同时，结合专门的语法、词汇和汉字等方面的学习，让学习者理解并掌握目标语言结构，进而能自如地运用这些语言结构。

　　本书以功能为主线，围绕学习者感兴趣的话题编选自然的语料，为了控制课文难度并突出需要学习的语言结构和文化知识，采用自编与选文相结合的办法，对所选择的课文材料都进行了适当的改写。

　　本书分Ⅰ、Ⅱ两册，训练的语言功能包括描写、叙述、说明和论述等几大类，每类功能涉及许多方面，如描写功能包括描写人的外表、描写一个地方、描写一个事物等等；叙述功能包括叙述学习者的学习经历、叙述找工作的经历等等；说明包括对不同地区的饮食习惯、世界各国的迷信等的说明；论述涉及对金钱的看法等方面。

　　本书注重培训学习者的读写技能，学习者除了接受大量的读写训练，还将积累大量的汉语语言文化知识。除了常规的生词、语法学习，学习者还将专门学习常用语素和汉字部件等语言文字知识，这将为学习者汉语水平的加速发展奠定坚实的基础。

　　本书Ⅰ、Ⅱ两册各分八个单元，每个单元包括两课，单元前有单元热身活动，后有单元练习。

　　单元热身活动形式多样，其目的是帮助学习者回顾、总结已有的语言知识或技能，为学习新单元作准备。

每单元内的两课内容上相互关联，每课由生词、课文、语言点和相应的练习等部分构成。

生词部分为学习者提供了词性、拼音、释义和丰富的运用范例。生词练习主要为了帮学习者建立生词的形音义联系。练习的对象主要是重点的实词。

每单元的课文都配有理解性练习，目的是引导学习者先理解课文内容，将注意力放在语言材料的意义上，在理解语言材料意义的基础上，再关注语言形式。除了有关课文内容的练习以外，每课还提供了结合学生自己实际情况的交际性练习，让学生将所学的课文内容和现实生活联系起来。

各课语言点包括简要解释、例句和练习三部分，有些语言点需要学习者根据例句总结结构规则（填在例句后的方框中）。对于用法较多的语言点，我们重点解释和练习本单元中出现（一般也是最常用）的用法。

单元练习包括从汉字部件、语素、词汇直至句子、篇章的多层次练习，以帮助学习者对本单元新学的语言结构进行巩固、内化和运用。每单元的最后为阅读和写作练习。阅读练习中的文章重现了所在单元的部分词汇和语言点。写作练习大多和阅读文章相结合，或与所在单元内容相关。其目的一方面是训练学习者的写作能力，另一方面也是引导学习者应用本单元所学的语言结构和技能。

本书的许多练习需要学习者和搭档互相配合完成，这主要基于两方面的考虑：一是因为这种形式便于教师组织课堂活动、调动学习者的积极性；另一方面（也是更重要的方面）是因为学习者在课堂上能够通过与其他学习者的互动获得更多的语言学习机会，进而加速汉语习得的进程。

本书在编写过程中得到北京大学对外汉语教育学院部分教师的帮助，北京大学出版社汉语与语言学编辑部的领导和编辑为本书的出版付出了很大的心血，在此我们表示衷心的感谢。

编　者

目　录

第一单元

单元热身活动 ·· 1

第一课　三封 E-mail ·· 3

第二课　日记一篇 ·· 15

单元练习 ·· 26

第二单元

单元热身活动 ·· 30

第三课　留学中国 ·· 31

第四课　儿童学语言 ·· 42

单元练习 ·· 50

第三单元

单元热身活动 ·· 56

第五课　她是我们的女儿吗？ ·································· 57

第六课　颜色和性格 ·· 66

单元练习 ·· 76

第四单元

单元热身活动 ·· 82

第七课　唱片 ·· 83

第八课　音乐和邻居女孩 ······································ 94

单元练习 ·· 104

第五单元

单元热身活动 ·· 109

第九课　孙中山 ·· 110

第十课　武则天 ·· 120

单元练习 ·· 132

第六单元

单元热身活动 ·· 136

第十一课　吃在中国 ·· 137

第十二课　请客吃饭 ·· 151

单元练习 ·· 162

第七单元

单元热身活动 ·· 166

第十三课　应该怎么做 ·· 167

第十四课　各国迷信 ·· 178

单元练习 ·· 191

第八单元

单元热身活动 ·· 197

第十五课　爱情玫瑰 ·· 198

第十六课　你丈夫真好 ·· 210

单元练习 ·· 223

语言点索引 ·· 229

词语总表 ·· 231

第一单元 单元热身活动

一、读下面的话，你觉得人们用什么方法联系时会这么说，请用线把
这些话和联系方法连到一起：

您好！这是发发广告公司。

很高兴收到你的来信！

你是男的还是女的？

（发手机短信）

（上网聊天）

你在哪儿呢？开机以后给我回电话。

（打电话）

（写信）

二、问一问你的搭档下面的问题，了解他（她）和家人、朋友联系的情况：

1. 你常常跟家人联系吗？

　□ 常常　　　　　　　□ 不常

2. 你和家人、朋友一般怎么联系？

　□ 发 E-mail　　　　□ 打电话　　　　□ 上网聊天
　□ 发手机短信　　　□ 用其他方法：_____

3. 你一般多长时间跟家人联系一次？

　_____一次（例如：每天、每两天、每个星期、每半个月等等)

4. 你最近一次跟家人联系是什么时候？

　_____以前（例如：两个小时、两天、一个星期、一个月等等)

三、给小组里的其他同学介绍你了解到的情况，听组里的同学介绍完以后，完成下面的问题：

1. 我们小组的同学和家人、朋友联系最喜欢用的方法是：_____

　_____；有_____位同学常常用这种方法联系。

2. 最经常跟家人联系的同学是：_____，他（她）_____跟家人联系一次。

3. _____刚刚跟家人联系过，时间是_____以前。

第一课 三封 E-mail

词语

1. 司机	(名)	sījī	开车的人 chauffeur：出租汽车~｜公共汽车~｜卡车~｜~师傅
2. 素	(形)	sù	没有肉的 (菜)vegetarian (food)：~菜｜~饺子
3. 不仅※	(连)	bùjǐn	not only
4. 做法	(名)	zuòfǎ	way of doing / making things：~很多｜~很简单
5. 不过※	(连)	búguò	可是；但是 but
6. 油	(形)	yóu	oily; greasy
7. 茄子	(名)	qiézi	eggplant
8. 圣诞节		Shèngdàn Jié	一些国家最重要的节日，时间是 12 月 25 日 Christmas
9. 空儿	(名)	kòngr	不需要工作或学习的时间 spare time：有~｜没~｜抽~｜明天下午你有~吗？——两点以前没~，两点以后有~。
10. 越来越※		yuèláiyuè	more and more
11. 恢复	(动)	huīfù	to recover：身体~得很好｜身体还没有~｜~健康
12. 血压	(名)	xuèyā	血 =blood，压 =pressure，血压 = blood pressure：~太高｜~很低｜高~｜低~
13. 份	(量)	fèn	measure word：一~工作｜一~礼物｜一~报纸

注：加※的词语为在"语言点"中出现的词语。

14. 老板	(名)	lǎobǎn	boss
15. 吵架		chǎo jià	to quarrel: 和某人～｜跟某人吵了一架｜吵过一次架
16. 生气		shēng qì	to get angry
17. 公司	(名)	gōngsī	company: 一家～｜汽车～｜电影～｜开～
18. 担心		dān xīn	to worry
19. 结婚		jié hūn	to get married
20. 春节		Chūn Jié	中国最重要的节日 the Spring Festival：过～
21. 鼻子	(名)	bízi	nose
22. 电脑	(名)	diànnǎo	computer
23. 回信		huí xìn	to write back: 给某人～｜回了一封信
24. 照片	(名)	zhàopiàn	photo: 一张～｜拍～｜照～
25. 猜	(动)	cāi	to guess: ～对了｜～错了｜～到某事
26. 记得	(动)	jìde	to remember: 小学同学的名字他都～。
27. 毕业		bì yè	to graduate: 小学～｜中学～｜大学～｜*～小学｜*～中学｜*～大学｜～以后｜～以前
28. 广告	(名)	guǎnggào	advertisement: 电视～｜做～｜汽车～｜方便面～｜牛奶～
29. 瘦	(形)	shòu	thin
30. 猴（子）	(名)	hóu (zi)	monkey

专 名

1. 哈尔滨	Hā'ěrbīn	*capital of Heilongjiang province*
2. 北京	Běijīng	Beijing
3. 西安	Xī'ān	*capital of Shanxi province*
4. 长城	Chángchéng	the Great Wall
5. 故宫	Gùgōng	the Palace Musume
6. 秦始皇	Qínshǐhuáng	*the frist emperor of Qin Dynasty*
（兵马俑	bīngmǎyǒng	Terra-cota Figures of Warriors and Horses）

注：加＊的为错误的用法。

◎ **用刚学过的生词回答下面的问题：**

1. 你会做菜吗？如果会，请介绍一两个菜的做法。

2. 你们国家最大的节日是什么节日？那时候人们一般做什么？

3. 以前你和谁吵过架？

4. 来中国以后，有让你生气的事情吗？请你说说。

5. 来中国以前你最担心的事情是什么？现在呢？

6. 朋友给你写了信、发了 E-mail，你多长时间以后给他们回？

7. 在你们国家，人们结婚的时候都拍结婚照吗？

8. 在你们国家，电视上什么广告最多？

课 文

三封 E-mail

E-mail ①

大王：

　　你好！

　　真对不起！前一段时间因为要来中国留学，所以很忙，一直没跟你联系。你最近怎么样？忙不忙？我到中国快两个星期了，除了上课的时间太早，别的都已经习惯了。

　　中国人真有意思，虽然我只会说"你好""谢谢""对不起"，可是商店里的人，还有出租汽车司机，都说我的汉语非常好。中国菜非常非常好吃。你们吃素的人应该来中国，因为中国菜不仅有很多种素菜，而且做法也特别多。不过中国菜也不能天天吃，因为很油。我特别喜欢吃用茄子做的菜，第一次吃到那么好吃的茄子，所以我吃了一个星期茄子，结果现在我一点儿也不想吃茄子了。

圣诞节你们打算做什么？在中国圣诞节不放假，不过新年的时候放四天假，到时候我打算去哈尔滨——中国最冷的地方玩儿。

有空儿给我写信吧。

祝你愉快！

毛 毛

一、在 E-mail ① 中，写信人可能是收信人的（　　　）

    A. 朋友　　　　B. 家人　　　　C. 老师　　　　D. 学生

二、根据 E-mail ① 回答下面的问题：

1. 毛毛为什么说对不起？

2. 毛毛在中国生活习惯吗？

3. 毛毛为什么说中国人有意思？

4. 毛毛新年的时候有什么打算？

阳阳：

　　最近工作忙吗？天气越来越冷了，注意别感冒。家里一切都好。你爸爸身体恢复得越来越好，睡觉很好，吃得也挺多，就是不能吃太油的东西。天气好的时候，我和他一起出去散散步。晚上看一会儿新闻。我的血压也不太高，不过我还是每天吃药。

　　你大哥换了一份工作，他和原来的老板吵架了。他一生气就离开了那家公司，我有点为他担心。他和丽丽打算明年结婚。毛毛昨天给我们打了电话，他在中国挺好的。圣诞节的时候他不回家，明年2月中国春节的时候他放三个星期假，那时候他打算回来找工作。他准备在国内找一份需要用汉语的工作。到时候你有时间回家吗？

妈　妈

◎ **根据 E-mail ② 回答下面的问题：**

1. 阳阳的爸爸身体怎么样？他妈妈呢？

2. 天气好的时候，他们干什么？

3. 阳阳的大哥为什么换工作？

4. 毛毛的情况怎么样？他有什么打算？

大鼻子：

很高兴收到你的信，前一段时间我的电脑坏了，所以到现在才给你回信。

我和小文都很好。我们俩去中国旅行了。我们去了北京和西安，爬了长城，参观了故宫和秦始皇兵马俑，非常有意思。你也应该去看看。发几张我们的照片给你看看。

知道我们在中国见到谁了吗？你肯定猜不到，是毛毛。还记得吗？我们一起上汉语课的时候，毛毛老睡觉。大学毕业了，他去了中国学汉语。他要在中国学习一年半。他还在一家广告公司找到一份工作，所以一边打工，一边学习。我问他现在上课还睡不睡觉，他说老师常常叫他回答问题，所以他不敢睡觉。真希望我们很快能再一起喝酒。

有时间给我写信，说说你最近的情况。

小文问你好！

瘦 猴

一、在 E-mail ③ 中，写信人可能是收信人的（　　）

    A. 老师　　　　　B. 家人　　　　　C. 同学　　　　　D. 学生

二、根据 E-mail ③ 回答下面的问题：

    1. 为什么瘦猴没有早点给大鼻子写信？

2. 小文和瘦猴可能是什么关系？

3. 小文和瘦猴在中国去了哪些地方？见到了谁？

三、请说出在上面的三封 E-mail 中，哪封里有下面的情况：

例如：有人和老板关系不好。　　（　　　　E-mail ②　　　　）

1. 有人的电脑坏了。　　　　（　　　　　　　　　　）

2. 有人身体不太好。　　　　（　　　　　　　　　　）

3. 有人换了一份工作。　　　（　　　　　　　　　　）

4. 有人刚从国外回来。　　　（　　　　　　　　　　）

5. 有人出国留学了。　　　　（　　　　　　　　　　）

6. 有人打算要结婚。　　　　（　　　　　　　　　　）

7. 有人打算去哈尔滨旅行。　（　　　　　　　　　　）

8. 有人去了西安。　　　　　（　　　　　　　　　　）

9. 有人很忙。　　　　　　　（　　　　　　　　　　）

10. 有人吃了一个星期茄子。　（　　　　　　　　　　）

四、这几封 E-mail 里都提到了毛毛的情况，请根据信的内容填空：

毛毛现在在＿＿＿＿＿＿学习＿＿＿＿＿＿。虽然他以前学过，但那时候他上课常常＿＿＿＿＿＿，所以他学得不太好。他来中国的时间不长，才＿＿＿＿＿＿，对＿＿＿＿＿还不太习惯。上个星期他在一家＿＿＿＿＿公司找到一份工作。现在他一边打工一边学习。＿＿＿＿＿＿的时候，他打算到中国最冷的地方＿＿＿＿＿＿去玩儿。明年寒假的时候他要＿＿＿＿＿看父母，顺便找工作，他想在＿＿＿＿＿找一份＿＿＿＿＿的工作。

语言点

一、离合词

汉语中有些动词在使用时，中间可以插入"了"、"过"、数量短语等，这样的词叫"离合词"。离合词一般不可以带宾语。例如：

生了半天气	生了气 生过气	生气	*生气他
结了两次婚	结了婚 结过婚	结婚	*结婚他
放了三天假	放了假 放过假	放假	*放假学生
考了两次试	考了试 考过试	考试	*考试语法
洗了两次澡	洗了澡 洗过澡	洗澡	*洗澡孩子

离合词
其他动词

*知了道 *知过道	知道	知道他
*复了习 *复过习	复习	复习课文
*喜了欢 *喜过欢	喜欢	喜欢动物
*参了观 *参过观	参观	参观故宫
*回了答 *回过答	回答	回答问题

▶ 生气

哥哥很**生**老板的**气**，所以就离开了那家公司。

(＊哥哥**生气**老板。)

▶ 结婚

在有的地方，男的可以和男的**结婚**，女的可以和女的**结婚**。

非洲有个 Akuku 先生**结**了 100 多次**婚**，有 160 个孩子。(非洲：Africa)

(＊哥哥打算明年**结婚**丽丽。)

▶ 洗澡

以前，人们觉得**洗澡**对身体不好，所以一个月才**洗**一两次**澡**。

▶ 担心

我们为她**担**了半天**心**，结果她什么事情也没有。

▶ 毕业

毕了**业**，我想到中国的公司找工作。

◎ 判断下面的句子是对还是错，错的请改正：

1. 我昨天没有给女朋友发 E-mail，所以她很生气我。

2. 诺贝尔没有结过婚。 (诺贝尔：Alfred Nobel)

3. 我们每个星期都考试语法。

4. 今天复了习以后，我要去打篮球。

5. 夏天特别热的时候，我每天洗澡两次。

二、不仅……而且

表示除了第一分句的意思以外，还有更进一层的意思，多用于书面语。例如：

(1) 中国菜**不仅**有很多种素菜，**而且**做法也特别多。

(2) 在中国，以前春节的时候**不仅**学校、公司放假，**而且**商店、公园也关门。

(3) 现在的大学生，**不仅**要学外语和电脑，**而且**要学开车。

(4) 老板：小王，你喜欢唱歌吗？

小王：我**不仅**喜欢唱，**而且**唱得不错。

三、不过

连接分句，表示转折。有时是补充或修正上文的意思，如例(1)(2)；有时是引出与上文相对立的意思，如例 (3)(4)。

(1) 中国菜非常好吃，**不过**也不能天天吃。

(2) 我的血压不太高，**不过**我还是每天吃药。

(3) 他虽然吃得很多，**不过**还是很瘦。

(4) 我喜欢看电视，**不过**我的同屋不喜欢。

◎ 用"不仅……而且……"或者"不过"将下面 A、B 中的句子连起来，根据需要可以增加或者减少一些词语，在下面的横线上写出正确的句子：

A	B
1. 我来中国学习汉语。	a. 他不能吃太油的东西。
2. 中国菜很好吃。	b. 我考得不太好。
3. 爸爸身体恢复得很好。	c. 学习中国历史，了解中国文化。
4. 考试很容易。	d. 有的中国菜有点奇怪。
5. 我们国家圣诞节放假。	e. 他非常热情。
6. 冬天的时候比较暖和。	f. 这儿有的时候风很大。
7. 我的朋友很漂亮。	g. 在我们国家新年的时候休息。

例如：1. <u>我来中国不仅想学汉语，而且想学习中国历史，了解中国文化</u>。

2. _____。

3. _____。

4. _____。

5. _____。

6. _____。

7. _____。

四、越来越

表示程度随着时间的延续而加深，后面常常跟形容词或表示心理状态的动词。例如：

（1）天气**越来越**冷。

（2）爸爸的身体恢复得**越来越**好。

（3）如果你每天都吃很油的东西，你的血压会**越来越**高。

越来越 + 形容词 / 动词

◎ 用"越来越"说明下面的图和表：

CPU：33MHz	CPU：700MHz	CPU：2.6GHz
10 年前	5 年前	现在

老王身体检查情况表：

	2004 年	2002 年	2000 年
身高（cm）	175	176	178
体重（cm）	80	75	72
血压（kPa）	19.5/13	18.5/12	17/11.5
视力（左/右）	4.0/4.1	4.2/4.2	4.5/4.6

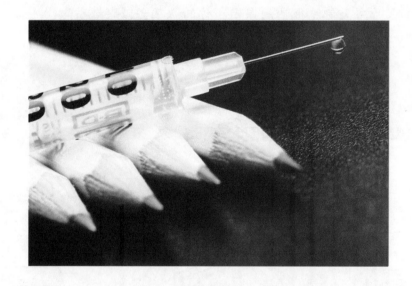

第二课　日记一篇

词语

1. 日记	(名)	rìjì	写给自己看的小文章，一般写自己每天遇到的或者发生的事情 diary
2. 头	(形)	tóu	开始的… first （*used before a numeral*）：～两个星期｜～一份工作｜① 这是我～一次做中国菜，可能做得不好吃。｜② 这个公司～几年的情况还不错，现在越来越不行了。
3. 手续	(名)	shǒuxù	procedure：结婚～｜借书～｜出国～｜办～｜～很简单｜～非常麻烦
4. 痛苦	(形)	tòngkǔ	painful：① 病人～地喊着。｜② 小王爱丽丽，可是丽丽不爱他，他非常～。｜③ 我现在最～的是不知道自己将来做什么。
5. 差不多	(形、副)	chàbuduō	almost：①现在很多大城市的样子都～。｜②我们的老师和我～大。｜③3 岁以前的事我～都忘了。｜④你学了多长时间汉语了？——～一年了。
6. 锻炼	(动)	duànliàn	take physical exercise：～身体
7. 收获	(名)	shōuhuò	得到或者学到的东西 gain：～很大｜(没)有～｜① 上个星期的旅行我～很多。② 这次回国找工作怎么样？有～吗？｜③ 去哪儿买东西了？～真不小啊。

8. 首先	(副)	shǒuxiān	first：① 能取得今天的成绩，～我要感谢我的老板，是他给了我这个好的机会。第二，我要感谢我的父母，谢谢他们这么多年对我的照顾。第三，我要感谢我所有的朋友，没有这些朋友，就没有我今天的成功。｜② 做鸡蛋炒饭很简单。～，放一点油，油热了以后把鸡蛋放进去炒几下，然后再把米饭放进去一起炒。
9. 准确	(形)	zhǔnquè	exact; accurate：～时间｜～意思｜～情况｜① 我得打电话问一下飞机到这儿的～时间。｜② 这个词用在这儿不太～。｜③ 很好，你回答得非常～。
10. 可以	(形)	kěyǐ	不坏〈口语〉not bad; passable（*no negative form*）：① 我跳舞不太好，唱歌还～。｜② 这次考得怎么样？——口语还～，听力不太好。
11. 明白	(动)	míngbai	清楚地知道 to understand：～这个词的意思｜不～她的想法｜对…很(不)～
12. 题	(名)	tí	考试、练习时需要回答的问题 examination questions：一道～｜考试～｜问答～｜这次考试的～很多，不过不太难。
13. 尤其※	(副)	yóuqí	特别 especially
14. 填	(动)	tián	to fill in：～表｜～汉字｜～姓名
15. 阅读	(动)	yuèdú	to read：～课文｜～报纸｜～一篇文章｜① 多～是学习汉语的好方法。｜② 现在有了电视、电脑，人们～的书越来越少。
16. 不少	(形)	bùshǎo	很多 many：① 豆腐的做法真～。｜② ～大学生毕了业马上就出国。

17. 看来	(连)	kànlái	it looks as if; it seems：① 你们都不说话，~你们都不同意我的计划。｜② 已经上了一节课了，他还没来，~他今天不会来了。
18. 好好儿※	(副)	hǎohāor	to the best of one's ability; to one's heart content：~想一想｜~学习｜不~工作｜没~准备
19. 熟悉	(动)	shúxī	很了解 familiarize; to know sth./sb. well：① 我对这个声音太~了。｜② 我刚来，还不~这儿的情况。
20. 环境	(名)	huánjìng	周围的地方；周围的情况和条件 environment：工作~｜学习~｜语言~｜新~｜~问题｜保护~｜换~
21. 适应	(动)	shìyìng	to adapt; to get used to：① 刚来的时候我对这儿的天气真不太~。｜② 这个星期先~一下周围的环境，下个星期开始工作。
22. 想象	(动)	xiǎngxiàng	imagine：① 龙是人们~中的动物。｜②中国和我~的不太一样。｜③ 你能~一下，20年后我们是什么样子吗？｜④孩子的~力常常更丰富。
23. 网	(名)	wǎng	net：鱼~
24. 上网		shàng wǎng	have access to internet
25. 交通	(名)	jiāotōng	traffic：~很方便｜~很乱｜城市~
26. 逛	(动)	guàng	to stroll：~街｜~商店｜~公园｜~~校园
27. 砍价		kǎn jià	to bargain：和某人~｜砍(一)~｜① 在中国，买东西的时候常常需要~。｜② 这件衣服我和商店的老板砍了半天价，最后便宜了50块钱。
28. 国际	(形)	guójì	international：~关系｜~法｜~问题

29. 必要	（形）	bìyào	necessary：不~｜有~｜没有~｜很~｜① 会用电脑是现在找工作的~条件。｜② 如果您的机器有问题，可以给我们公司打电话，~的时候我们还会去您家为您服务。｜③ 很多人认为，为了教育孩子，打孩子是~的。｜④ 妈妈，我已经30岁了，你没有~再为我担心。
30. 交流	（动）	jiāoliú	to communicate：和某人~…｜互相~｜~经验｜~思想｜~情况
31. 通	（名）	tōng	authority; expert：我的朋友在中国住了十几年了，是个中国~。

◎ **用新学的词语和你的搭档讨论下面的问题：**

1. 你们来中国以前想象中的中国是什么样子？和来了以后感觉到的一样吗？

2. 来这儿以后，你们最不习惯的是什么？

3. 你们每天的生活都一样吗？谈谈你自己现在每天最喜欢做的事情和最不喜欢做的事情。

课 文

日记一篇

9月9日，星期六，晴

时间过得真快！到中国已经两个星期了。这两个星期挺紧张，头两天忙着办手续、参加分班考试，接着就开始上课了。

现在每天早上7点钟我就得起床（太痛苦了☹），上午差不多都有课，下午有时候也有课，没课的时候我常去买东西或者收拾房间，晚上还要复习、做作业和预习，忙得连锻炼身体的时间都没有了。不过，这两周的收获也挺多的。

首先，我对自己的汉语水平有了更准确的了解。来中国以前觉得自己的汉语还可以，没想到下飞机以后，中国人跟我说汉语我听不懂，我说的汉语他们好像也不明白。分班考试的时候，很多题都不会做，尤其是填汉字，一个也没写对。上课的时候，阅读课文、做练习总是要查词典，因为不少汉字都不认识。看来我的听说读写水平都还差得远呢。我首先得多练习听和说，同时还要

一、阅读课文，回答下面的问题：

1. 作者为什么说到中国的这两个星期挺紧张？

2. 请你说说作者一天的生活。

3. 来中国以前，作者觉得自己的汉语水平怎么样？来了以后有什么变化？

4. 为什么作者觉得自己的汉语水平还差得远？

5. 作者觉得这儿的环境、生活怎么样？有不好的方面吗？

6. 作者这个星期原来打算做什么？为什么没去？

7. 小华和周明可能是什么人？

8. 作者为什么想更多地和中国人交流？

9. 作者对自己有什么希望？

好好儿学习汉字！

第二方面的收获是熟悉了周围环境，基本适应了这儿的生活，不过上课太早还有点不习惯。这个学校的风景挺漂亮；宿舍比我想象的好；食堂的饭菜很便宜，也不难吃。学校里买东西、上网也很方便，不过，自行车太多，交通有点乱。原来我打算这周骑自行车去城里逛逛，可一直没有时间，下周有空了一定要去。

认识小华和周明，也是我的一个重要收获。从他们那儿我学到了不少东西，例如怎么砍价、怎么打便宜的国际电话。以后有必要多和中国学生交流，这样不仅可以练习汉语，而且还能更多地了解中国人、中国的社会和文化。留学中国的头两个星期收获还有不少，这是个不错的开始。以后一定得好好儿利用时间，一边学汉语，一边了解中国社会和文化，做个中国通。

二、请根据课文内容填写下面的图表：

日　记

每天的学习和生活：

上午：差不多都有课

下午：＿＿＿＿＿＿＿＿

晚上：＿＿＿＿＿＿＿＿

这两个星期
自己的收获

自己的打算和希望：

⊙ 先练习听和说＿＿＿

⊙ ＿＿＿＿＿＿＿＿＿

⊙ ＿＿＿＿＿＿＿＿＿

收获一：

更准确地了解了自

己的汉语水平

☹ 听不懂

☹ 说得不太好

☹ 汉字不认识

收获二：

熟悉了周围的环境，基

本适应了这儿的生活

☺ 学校很漂亮

☺ ＿＿＿＿＿＿＿

☺ ＿＿＿＿＿＿＿

☺ ＿＿＿＿＿＿＿

☹ ＿＿＿＿＿＿＿

收获三：

＿＿＿＿＿＿＿＿＿

＿＿＿＿＿＿＿＿＿

☺ 学会了砍价

☺ 能打便宜的国际电话

☺ 更多地了解中国人、

　中国社会和文化

三、采访你的搭档，至少了解下面几个方面的情况：

1. 来中国以后，他（她）比原来忙吗？为什么？

2. 请他（她）谈谈来中国前或者来中国以后最忙的一段时间。

3. 来中国以后他（她）有了哪些收获？可以从"学习上""生活上"等几

　个方面谈。

语言点

一、尤其

表示经过比较，"尤其"后面所说的意思更进一步。有"特别"的意思。后面常常跟"是"。例如：

(1) 分班考试的时候，很多题都不会做，**尤其**是填汉字，一个也没写对。

(2) 我的同屋常常给家里打电话，**尤其**刚来的时候，差不多每天都打。

(3) 这份报纸上广告很多，**尤其**是电脑的广告。

(4) 跑步，**尤其**是慢跑，对身体很好。

(5) 中国的高中学生，**尤其**是高三的学生，学习很辛苦。

◎ 用"尤其"介绍一下你的爱好。

例如：我很喜欢音乐，尤其是现代音乐。

二、"一……也不（没）"表示强调

用于否定句中，表示强调，有时有夸张意味。例如：

(1) 分班考试的时候，填汉字一个**也没**写对。

(2) 我吃了一个星期茄子，现在一点**也不**想吃茄子了。

(3) 小王和老板吵架的时候，别人一句话**也不**说。

(4) 一个乞丐①来到一个小气②的人家要饭。

　　乞　　丐："请给我一点钱。"

　　小气的人："没有！我们家一块钱**也没**有。"

　　乞　　丐："那你给我点儿吃的东西吧，我已经饿了三天了。没有肉，面包也行。"

　　小气的人："我们家一片面包**也没**有了。"

　　乞　　丐："那就给点儿水喝吧！"

注：① 乞丐 qǐgài：向别人要饭、要钱的人。
　　② 小气 xiǎoqi：总是不愿意花钱。

小气的人："我们**一**点水**也没**有了。"

乞 丐："那你为什么还坐在家里？快跟我一起要饭去吧！"

◎ 用"一……也不（没）"完成下面的句子或对话：

1. 刚来中国的时候，中国人说话我＿＿＿＿＿＿＿＿＿＿＿＿，真着急。

2. 她常常买衣服，可是最近没有钱了，＿＿＿＿＿＿＿＿＿＿＿＿。

3. 昨天我到教室的时候，＿＿＿＿＿＿＿＿＿＿＿＿，原来我记

   错了上课的时间。

4. 小王的钱包丢了，＿＿＿＿＿＿＿＿＿＿＿，没钱坐公

   共汽车，只能走回家了。

5. A：你有中国朋友吗？

   B：我刚来，＿＿＿＿＿＿＿＿＿＿＿＿＿＿＿。

6. A：你觉得这儿哪家书店比较好？

   B：不太清楚，＿＿＿＿＿＿＿＿＿＿＿＿＿。

三、好好儿

努力或者尽情地做某事，用在动词前。例如：

(1) 我首先要多练习听和说，同时还要**好好儿**学习汉字！

(2) 以后一定得**好好儿**利用时间，一边学汉语，一边了解中国社会和文化。

(3) 明天有考试，我应该**好好儿**准备准备。

(4) 因为不饿，所以孩子不**好好儿**吃饭。

（一）用"好好儿"完成下面的对话：

1. 学生：这个问题太难了，我不会。

   老师：＿＿＿＿＿＿＿＿＿＿＿＿＿＿＿＿＿。

2. 孩子：妈妈，我的袜子放哪儿了？我找不着。

　　妈妈：_____。

3. 小王：我能学会画画吗？

　　朋友：_____，就能学好。

4. 病人：大夫，我回去以后能马上去工作吗？

　　大夫：不行，_____。

5. 丽丽：我丈夫不喜欢我出去工作，可我非常想工作。怎么办呢？

　　朋友：_____。

6. 小王：明天就要结婚了，今天是你自由的最后一天了，你想干什么？

　　朋友：_____。

（二）用"好好儿"说一说你在中国的打算。

例如：我在家里的时候，常常不好好儿吃饭，从现在开始我每天要好好儿吃饭；我的口语和听力不太好，所以打算好好儿练习口语和听力；我来中国不仅要学习汉语，还要了解中国，所以放假的时候我要到其他地方好好儿玩玩……

四、挺……（的）

表示一定程度，跟"很"差不多，多用于口语。例如：

(1) 这两个星期**挺**紧张。

(2) 我们学校的风景**挺**漂亮。

(3) 这两周的收获也**挺**多**的**。

(4) 他是你的朋友，你不帮助他**挺**不合适**的**。

（一）用"挺……（的）"回答下面的问题：

1. 你的宿舍怎么样？

2. 你住的地方环境怎么样？ 交通呢？

3. 中国的出租汽车怎么样？

4. 你们现在学习紧张吗？

5. 你觉得在学校里，骑自行车好还是走路好？ 为什么？

（二）用"挺……（的）" "尤其"介绍一下你自己的国家或者城市。

例如：　①我的老家水果挺多，尤其是苹果，是全国最好的。

　　　　②我们国家人口挺多的，尤其是城市里人很多。

　　　　③我们国家高山挺多的，尤其是东部，有很多有名的山，风景非常美。

第一单元　单元练习

一、说说下面的字有什么相同的部分，请再写出几个这样的字：

例如：说、谢：都有<u>讠</u>，这样的字还有：汉<u>语</u>、应<u>该</u>、圣<u>诞</u>、考<u>试</u>、

认<u>识</u>、计<u>划</u>

忙、惯：都有_____，这样的字还有：_____

没、汽：都有_____，这样的字还有：_____

近、过：都有_____，这样的字还有：_____

茄、获：都有_____，这样的字还有：_____

二、组词：

例如：语→语言、汉语、母语、英语

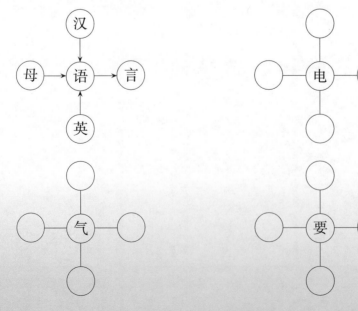

三、写短语：

例如：逛 公园 / 商店 / 校园 _____ 写 / 一篇 _____ 日记

明白_____　　　　　_____广告

适应_____　　　　　_____环境

交流_____　　　　　_____空儿

准确的_____　　　　_____手续

必要的_____　　　　_____公司

四、动词填空：

他和妻子是大学同学，大学_____以后，他们很快就_____了。_____以后两个人好像没有_____过一次架。_____他们的人都说他们是最幸福的一对。但是最近妻子看了一部叫《手机》的电影以后，常常检查他手机里的电话号码，他很_____，两个人已经_____了几次架了。

昨天是妻子的生日，他说好下班以后和她一起去_____一家最近新开的商场，然后请她吃饭。快要下班的时候，公司的女老板请他_____她修一下电脑。他不好意思说_____空儿，只好帮她修。让这台电脑_____工作花了他很长时间。修电脑的时候，女老板帮他接了一个电话，但是电话里的人没有说话。他看了一下自己的手机，发现没电了，所以他_____那个电话是妻子来的。因为_____妻子会生气，所以修好电脑他马上坐出租车回家，但是妻子没在家。他马上去找那家新开的商场，可是他不_____商场准确的名字，等他找到那儿已经很晚了，商场已经关门了。

没办法，他只好回家。他一边走，一边_____着妻子生气的样子。到了家，他发现妻子和一堆啤酒瓶在等着他，妻子的样子不是生气，而是痛苦。她一边喝酒，一边问他："你为什么不开手机？那个女人是谁？"

五、阅读下面的文章，并完成后面的练习：

很多人说汉字像画儿一样，＿＿＿＿＿＿＿＿＿＿＿＿＿＿＿＿＿＿＿，如"ㄔ"（人）、"☉"（日）、"朩"（木）和"网"（网）。这些字开始的时候就是最简单的画儿，人们一看就能明白它们的意思。

几千年过去了，＿＿＿＿＿＿＿＿＿＿＿＿＿＿＿＿＿＿＿，大部分汉字已经和原来完全不一样了。例如，"步"已经变成了"步"；"心"变成了"心"。所以，现在人们看到一个不认识的字时，已经很难根据它的形状想到它的意思了。

不过在学过一些汉字以后，现在你还有可能根据学过的这些字，猜到不少别的字的意思，如，你学过"木"，就大概能猜到"森"的意思；学过"目"和"氵"就能明白"泪"的意思；学过"木"和"人"就容易明白"休"字。

很多汉字有两个部分，＿＿＿＿＿＿＿＿＿＿＿＿＿＿＿＿＿，所以有些字除了能看出它的意思和什么有关系，你还能猜到它怎么读。如"钟"字，"钅"和它的意思有关，"中"是它的读音；再如"理"字，"王"和它的意思有关系，"里"和它的读音有关系。不过，现在不少汉字的读音已经和原来不同了，要是你还根据字的一半读的话，就很可能读错。

＿＿＿＿＿＿＿＿＿＿＿＿＿＿＿＿＿。现在的汉字大约有七八万，不过最常用的差不多只有 3000 个，掌握了这 3000 个字，阅读一般的汉语书和报纸就没有太大的问题了。

＿＿＿＿＿＿＿＿＿＿＿＿＿＿＿＿＿。有些字不仅要知道现在怎么写，最好还要知道它们是怎么来的，每个部分是什么意思，这样才容易记住它怎么读、怎么写。

＿＿＿＿＿＿＿＿＿＿＿＿＿＿＿＿＿。如，学习了"杯"，你可以了解中国古代的杯子是木头的。学习了"想"，你可以知道中国古代人觉得自己是用心想问题的。汉字里的文化知识很多很多，所以学习汉字的同时，你还学习了许多别的知识。

在世界上，不仅中国人用汉字，日本人、韩国人和新加坡人也使用汉字。刚有电脑的时候，汉字的使用遇到了不少问题，但是，这些问题现在都已经解决了。

（一）把下面的句子填入文章中正确的地方：

① 汉字的形状已经有了很大变化

② 实际上最早的汉字就是从画儿变来的

③ 学习汉字能帮助你了解中国的历史和文化

④ 一个部分表示意义，另一个部分表示声音

⑤ 汉字不仅形状、读音和以前不同了，而且数量也有了很大的发展

⑥ 学习汉字应该掌握正确的方法

（二）根据文章回答下面的问题：

1. 现在汉字的样子跟以前一样吗？这样的变化对人们学习汉字有什么影响？

2. 现在人们已经不可能根据字的形状去猜字的意思，对吗？

3. 请你自己举两个汉字的例子，它们的一边表示声音，一边表示意思。

4. 现在的汉字大约有多少？其中最常用的有多少？

5. 学习汉字要注意什么？

6. 学习汉字有什么好处？你觉得还有别的好处吗？

7. 除了中国，还有哪些国家使用汉字？

（三）猜一猜下面的汉字是什么意思：

川	炎	焚	掰	闯	囚	鲋	淼

（四）下列汉字的两个部分，哪个代表字的读音？哪个代表字的意义？

汉字	声音	意义		汉字	声音	意义
油	＿＿＿＿	＿＿＿＿		吵	＿＿＿＿	＿＿＿＿
婚	＿＿＿＿	＿＿＿＿		瘦	＿＿＿＿	＿＿＿＿
境	＿＿＿＿	＿＿＿＿		想	＿＿＿＿	＿＿＿＿

六、写作：请给你的家人或朋友写一封信（或者 E-mail），谈谈你到中国以后的学习和生活。

第二单元 单元热身活动

◎ 你觉得除了上课，还有什么方法对你学汉语有帮助？请写出最重要的三种。和你的搭档比较一下，看看你们的方法有哪些不同，并说说为什么：

我的方法	我搭档的方法

例如：

（和中国学生互相帮助）　（　　　　　　）　（　　　　　　）

（看中文小说）　（　　　　　　）　（　　　　　　）

（　查词典　）　（　　　　　　）　（　　　　　　）

第三课 留学中国

词语

1. 如果	(连)	rúguǒ	if：～…就… ｜ ～…那么… ｜ ① 在中国，～一个老人问你结婚了没有，你不要生气。 ｜ ② ～你不喜欢吃甜的，我们就要个别的菜。
2. 聊天儿		liáo tiānr	随便谈一谈 to chat：跟某人～ ｜ 和某人～ ｜ 聊了一会儿天儿
3. 以外	(名)	yǐwài	besides; except
4. 饭馆儿	(名)	fànguǎnr	restaurant
5. 菜单	(名)	càidān	menu
6. 奇怪	(形)	qíguài	和一般的、普通的情况不一样 strange：～的菜 ｜ ～的习惯 ｜ 感到(很)～ ｜ ① 这种水果的样子和味道都很～。 ｜ ② 在那条路上骑自行车，往高的地方走很容易，往低的地方走很困难，大家都觉得很～。
7. 动作	(名)	dòngzuò	action
8. 重复	(动)	chóngfù	再做一次 to repeat; to duplicate
9. 直	(副)	zhí	continuously；repeatedly
10. 摸	(动)	mō	to touch：～孩子的头 ｜ ～了～眼镜 ｜ ～了一下自己的钱包
11. 肚	(名)	dǔ	stomach (of an animal)

12. 解释	(动)	jiěshì	说明为什么，或者说明是什么意思 to explain：给某人~一下｜向某人~~｜① 老师，请您给我~一下这个词的意思和用法。｜② 你应该向她~一下你为什么迟到。
13. 替※	(介)	tì	for; on behalf of
14. 西红柿	(名)	xīhóngshì	tomato
15. 炒	(动)	chǎo	stir-fry
16. 几乎	(副)	jīhū	almost; nearly：① 他说的汉语非常好，~和中国人一样。｜② 这儿的菜比学校食堂的菜~贵了一倍。｜③ 五一期间，~所有的公园都挤满了人。
17. 有用	(形)	yǒuyòng	useful
18. 肝	(名)	gān	liver
19. 下水	(名)	xiàshui	猪、牛、羊等肚子里可以做菜吃的东西 (animal) guts
20. 感激	(动)	gǎnjī	to feel grateful; to be thankful：很~某人｜对某人很~｜① 来中国以后，我的朋友一直帮助我，我很~他。｜② 对医生的关心和照顾，病人非常~。
21. 帮忙		bāng máng	帮助〈口语〉to help：帮某人一个忙
22. 普通话	(名)	pǔtōnghuà	标准的汉语 Mandarin Chinese：CCTV 新闻用的是标准的~。
23. 标准	(形)	biāozhǔn	standard：~的普通话｜~时间｜~的好孩子｜① 这个运动员的动作很~。｜② 弟弟说的英语不太~。
24. 曾经※	(副)	céngjīng	once; ever
25. 对话	(动)	duìhuà	to talk; to converse

26. 好	（动）	hào	喜欢；喜爱 like; be fond of：～学｜～吃｜～玩｜～喝酒｜不～动｜～跟人开玩笑
27. 由于※	（连）	yóuyú	因为 because
28. 流利	（形）	liúlì	说得很好、很快 fluent：汉语说得很～｜能说～的日语
29. 呆	（动）	dāi	to stay：① 他每天都～在宿舍，很少出去。｜② 现在很多大学生毕业以后，不愿意～在国内，都想出国看看。
30. 方言	（名）	fāngyán	不同地方的地方话 dialect
31. 东北	（名）	dōngběi	northeast (*it refers to the northeast part of China in the text*)
32. 严肃	（形）	yánsù	serious：～的人｜～的问题｜表情很～
33. 口音	（名）	kǒuyīn	accent
34. 古老肉		gǔlǎoròu	fried pork in sweet and sour sauce
35. 西红柿炒鸡蛋		xīhóngshì chǎo jīdàn	tomato omelette

课文

一、读课文第1—3段,完成练习:

留学中国

1. 在这部分,作者主要想告诉我们 (　　)
   A. 在中国吃饭非常麻烦
   B. 在课外学汉语的例子
   C. 他认识的中国姑娘
   D. 他最不喜欢吃的菜

2. 仔细阅读文章后,和你的搭档一起回答下面的问题:
   ① 作者在饭馆儿里吃饭碰到了什么问题?最后怎么解决的?
   (奇奇怪怪、解释、替)
   ② 老板做那些奇怪的动作是什么意思?他可能画了什么?

1　　如果你问来中国留学的外国人,怎样学汉语最快,可能很多人都会告诉你:和中国人聊天是一种好方法。确实,我们老外在教室以外学会的汉语太多了。

2　　有一天,我们四个刚来中国的老外去饭馆儿吃饭。点菜的时候碰到了麻烦:我们不认识菜单上那些奇奇怪怪的菜的名字。老板想了不少办法,希望我们能明白这些菜是什么。他一边做着奇怪的动作,一边在桌子上画画。他重复了好几遍,可我们还是猜不出他的意思。他急得直摸自己的头。

3　　这时,一个中国姑娘在旁边说话了:"老板,很多老外不吃鸭头,也不吃猪心、猪肚。"她又用英语解释给我们听。听了她的解释,再想想老板的动作,我们都笑了起来。这个中国姑娘又替我们点了古老肉和西红柿炒鸡蛋。这两个菜几乎所有老外都爱吃。然后，我们上了来北京后最有用的一节课——记住了"心""肝""肚""下水"。我们很感激她，因为这些词帮了我们很大的忙。我们经常到中国的一些小城市旅行。那些地方的人能讲英语的很少，他们的普通话又很不标准，但是一句"不要下水"就能解决所有问题。

③ 作者为什么很感激那个中国姑娘？（帮忙、旅行、普通话、解决）
④ 你们在外面吃饭，如果不认识汉字、不知道菜的名字，怎么办？

二、读课文第4段，完成练习：

4　　在大城市学中文也有问题：能说英语的人太多。在北京，连出租车司机也能说几句英语。来北京以前，很多人曾经告诉我，在大城市学中文不如在中小城市学好。在中小城市学有两个好处：一个是没那么多人想和你用英语对话。在大城市，很多时候你刚说出"你好"，好学的中国人就会马上说起英语来。由于你的汉语不如他们的英语流利，所以常常是他们说，你听。第二，如果你在一个中小城市呆的时间很长，还能学会一种方言。我的朋友曾经在东北呆过两年，严肃

1. 文章这部分的内容要告诉我们的是什么？

2. 请给这部分内容加一个小题目：《　　　　》

时，他能流利地说标准的普通话，跟"新闻联播"① 一样；高兴时，他会用很重的东北口音说："干哈② 呀?"

（根据〔美国〕杰弗瑞·罗森《环球时报》文章改写）

注：① 新闻联播：中央电视台每天晚上7点的新闻节目。
　　② 哈（há）：东北话，意思是"什么"。

三、再仔细阅读课文全文，和你的搭档一起回答下面的问题：

1. 在中小城市学中文和在大城市学中文，都有哪些好处和不好的方面？

	☺		☹	
	作者认为	我的搭档认为	作者认为	我的搭档认为
大城市				
中小城市				

2. 你为什么决定来现在的城市学习汉语？

3. 说说你知道的中国方言有哪些。你们国家的方言多吗？请你介绍一下。

语言点

一、替

引出服务或帮助的对象，有"为、给"的意思。例如：

（1）她替我们点了古老肉和西红柿炒鸡蛋。

（2）请你替我问毛毛好。

（3）结婚以后，我一定替你做饭、洗衣服。

◎ **完成下面的句子：**

1. 我替妈妈＿＿＿＿＿＿＿＿＿＿＿＿＿＿＿＿＿＿＿＿＿＿。

2. 朋友替我＿＿＿＿＿＿＿＿＿＿＿＿＿＿＿＿＿＿＿＿＿＿。

3. 我替朋友＿＿＿＿＿＿＿＿＿＿＿＿＿＿＿＿＿＿＿＿＿＿。

4. 父母替孩子＿＿＿＿＿＿＿＿＿＿＿＿＿＿＿＿＿＿＿＿＿。

二、曾经

表示从前有过某种行为或情况。用在动词前，动词后常用"过""了"。否定形式不用"曾经"，可以用"没（有）＋动词＋过"，也可以用"不曾＋动词＋过"，后者常用于书面语。例如：

（1）来北京之前，很多人**曾经**告诉我，在大城市学中文不如在中小城市学好。

（2）我的朋友**曾经**在东北呆过两年。

（3）中学的时候，我**曾经**在一家商店打了一个月工。

曾经 + **动词**（＋过）	没有 + **动词**（＋过）
	不曾 + **动词**（＋过）

(4) 我**曾经**去过西安。　　　→ 我没有去过西安。

(5) 我**曾经**给你写过信。　　　→ 我没有给你写过信。

(6) 他**曾经**结过婚。　　　　　→ 他不曾结过婚。

(7) 他**曾经**用汉语写过日记。　→ 他不曾用汉语写过日记。

（一）用"曾经 + 动词"或它的否定形式回答下面的问题：

1. 除了中国，你还到过哪些国家？

2. 除了汉语，你还学过其他外语吗？

3. 来中国以前，你学过中国歌吗？

4. 在你们国家，你做过什么工作？

5. 小时候，你父母打过你吗？

6. 你们国家的领导人访问过中国吗？

（二）用"曾经"介绍一下你自己的事。

例如：我小学的时候，曾经得过跑步比赛第一名；中学的时候，曾经跟

老师吵过架；大学的时候，曾经给喜欢的女同学写过信，不过，

她没有回信。

_____

_____

_____

三、不如

用于比较，表示前边说到的人或事物比不上后边所说的。例如：

(1) 我的汉语**不如**他们的英语流利。

(2) 中小城市说英语的人**不如**大城市的人多。

(3) 北京**不如**哈尔滨冷。

(4) 爸爸的身体现在**不如**以前健康。

（一）完成下面的句子：

1. 中小城市不如大城市_____。

2. 方言不如普通话_____。

3. 当老师不如当医生_____。

4. 结婚以后不如结婚以前_____。

5. _____不如_____快。

6. _____不如_____好吃。

7. _____不如_____有用。

8. _____不如_____方便。

9. _____不如_____流利。

（二）用"不如"作比较：

1. 你和你最好的朋友 （或者你的哥哥、姐姐、弟弟、妹妹等）

_____

_____

_____

2. 你们国家和中国

_____

_____

_____

3. 男的和女的

_____

_____

_____

四、由于

表示原因，多用在句子前一部分。例如：

1. **由于**我的汉语不如他们的英语流利，所以常常是他们说，我听。

2. **由于**看不懂汉字，点菜时我们遇到了很多麻烦。

3. **由于**身体的原因，她换了一份工作。

4. **由于**天气的原因，飞机晚到了两个小时。

（一）用"由于"把 A、B 中的句子连起来，根据需要可以增加或者减少
　　　一些词语，在横线上写出正确的句子：

A	B
1. 我的电脑坏了。	a. 朋友们都叫小王"大鼻子"。
2. 我的朋友在东北呆了两年。	b. 我们在比赛中输给了他们。
3. 天气越来越冷。	c. 明天向您请一天假。
4. 明天我要去医院。	d. 我的朋友说话有东北口音。
5. 小王的鼻子很大。	e. 我很长时间没有跟他联系了。
6. 我们没有经验。	f. 感冒的人越来越多。

例如：1. 由于我的电脑坏了，所以很长时间没有跟他联系了。

2. _____

3. _____

4. _____

5. _____

6. _____

（二）用"由于"完成下面的句子：

1. ＿＿＿＿＿＿＿＿＿＿＿＿＿＿＿＿＿＿，我要学习汉语。

2. ＿＿＿＿＿＿＿＿＿＿＿＿＿＿＿＿＿＿，他觉得汉语很难学。

3. ＿＿＿＿＿＿＿＿＿＿＿＿＿＿＿＿＿＿，这儿的生活有点不方便。

4. ＿＿＿＿＿＿＿＿＿＿＿＿＿＿＿＿＿＿，天气变得越来越暖和。

5. ＿＿＿＿＿＿＿＿＿＿＿＿＿＿＿＿＿＿，两国关系变得紧张了。

（三）用"由于"分析一下：

1. 环境越来越坏的原因。

2. 离婚的人越来越多的原因。

3. 为什么很多年轻的夫妻不想要孩子？

4. 为什么越来越多的小学生戴眼镜？（眼镜 yǎnjìng：glasses）

5. 中国的人口为什么这么多？

第四课 儿童学语言

词语

1. 儿童	(名)	értóng	孩子 child; children
2. …学	(词尾)	…xué	suffix：数～｜医～｜语言～
3. 心理	(名)	xīnlǐ	mentality; mental state
4. 吃惊		chī jīng	to be surprised; to be amazed：让某很人～｜使某人大吃一惊｜～地发现｜① 毛毛刚到中国三个月，汉语说得这么好，我们都很～。｜② 爸爸要出国留学的消息让我大吃了一惊。
5. 母语	(名)	mǔyǔ	native language
6. 相同	(形)	xiāngtóng	一样 same：～的时间｜～的条件
7. 地方※	(名)	dìfang	aspect
8. 比如	(动)	bǐrú	例如 for example：① 有些菜很容易做，～西红柿炒鸡蛋，很多人都会做。｜② 很多汉字，～日、月，最早就是画儿。
9. 但	(连)	dàn	but
10. 左右※	(助)	zuǒyòu	or so：两点～｜十五个人～｜一百～
11. 后来	(名)	hòulái	later; afterwards：① 大学刚毕业的时候，我们还常联系，～他就没有消息了。｜② 医生：你喝了多少酒？——病人：不知道，开始我跟桌子上的每个人干了一杯，～发生的事情我就不知道了。
12. 专家	(名)	zhuānjiā	expert; specialist

13. 顺序	(名)	shùnxù	order; sequence：考试～｜安排～｜先后～
14. 不一定※		bù yídìng	可能不　not necessarily；may not
15. 紫	(形)	zǐ	purple
16. 灰	(形)	huī	gray
17. 棕	(形)	zōng	brown
18. 动词	(名)	dòngcí	verb
19. 名词	(名)	míngcí	noun
20. 另	(代)	lìng	other：～一种语言｜～一个人｜我买了两件衣服，一件我自己穿，～一件送给了我妹妹。
21. 确定	(动)	quèdìng	to make sure; to ascertain：～时间｜～地点｜不～的事情
22. 既…又※		jì…yòu	both...and

专　名

1. 日本	Rìběn	Japan
2. 德国	Déguó	Germany
3. 意大利	Yìdàlì	Italy

◎　和你的搭档一起试试回答：关于儿童学习语言的问题，下面哪些话是对的？哪些是错的？

1. 孩子们大概 18 个月的时候开始说话。

2. 中国孩子最先学会的颜色词是"蓝"。

3. 不同国家的儿童学习自己的母语时，没有很多不同的地方。

4. 有的国家的孩子先学会说，然后学会听。

5. 孩子们都先学会"动词＋名词"的句子，然后学会"名词＋动词"的句子。

课文

儿童学语言

很多语言学家和心理学家研究了儿童语言的发展。他们吃惊地发现：说不同母语的儿童在学习他们的母语时，有很多相同的地方。比如，在所有的国家，孩子学会语言以前都会发出一些声音，这些声音很像词语，但不是词语；各国的孩子们都是先学会听，然后才学会说；在所有的文化中，孩子们都在 12 个月左右开始说话，刚开始时他们说的句子只有一个词语，大概到 18 个月左右才会出现两个词语的句子。

不过，后来在研究了中国、日本、德国、意大利等国家的儿童以后，专家们又发现：儿童学习语言不同的地方比相同的地方更多。比如，他们学习词语的顺序不一定相同。在学习颜色词的时候，中国孩子学会的顺序是：红→黑、白、绿、黄→蓝→紫、灰→棕；但别的一些国家的孩子学会颜色词的顺序是：红→绿→黑→白→黄→棕→紫。不难看出这两个顺序中既有相同的地方，又有不同的地方。再比如，不同国家的孩子先学会的句子可能不同：有些国家的孩子先学会"动词＋名词"的句子，可是另一些国家的孩子先学会"名词+动词"的句子。

目前专家们能确定的只是：说不同母语的儿童在学习他们的母语时，既有相同的地方，又有不同的地方。

（参考资料：Helen Bee. *The Developing Child*，李宇明《儿童语言的发展》）

一、阅读课文，看看你前面的回答是不是都对。把前面句子中不对的地方改对。

二、仔细阅读课文，完成下面的练习：

1. 写出儿童学语言有哪些相同的地方和不同的地方：

相同的地方（最少写三点）	不同的地方（最少写两点）

2. 你觉得你学汉语和中国孩子学汉语有什么相同的地方？有什么不同的地方？

3. 你觉得不同国家的留学生学汉语有什么相同的地方？有什么不同的地方？

语言点

一、不一定

可能不，也许不。例如：

（1）不同国家的儿童学习词语的顺序**不一定**相同。

（2）这么晚了，他**不一定**来了。

（3）中国人说的汉语也**不一定**都对。

（4）在城市里，开汽车**不一定**比骑自行车快。

◎ 用"不一定"完成下面的句子或对话：

1. 有钱人＿＿＿＿＿＿＿＿＿＿＿＿＿＿＿＿＿＿＿＿＿＿＿＿。

2. 贵的东西＿＿＿＿＿＿＿＿＿＿＿＿＿＿＿＿＿＿＿＿＿＿。

3. 在中国生活＿＿＿＿＿＿＿＿＿＿＿＿＿＿＿＿＿＿＿＿。

4. 从最好的大学毕业＿＿＿＿＿＿＿＿＿＿＿＿＿＿＿＿＿。

5. A：他学汉语的时间比我长，汉语肯定比我好吧？

   B：＿＿＿＿＿＿＿＿＿＿＿＿＿＿＿＿＿＿＿＿＿＿＿＿。

6. A：他想瘦一点，所以每天都锻炼身体。

   B：＿＿＿＿＿＿＿＿＿＿＿＿＿＿＿＿＿＿＿＿＿＿＿。

7. A：你爱他为什么不愿意和他结婚？

   B：＿＿＿＿＿＿＿＿＿＿＿＿＿＿＿＿＿＿＿＿＿＿＿。

二、既……又

表示同时具备两个方面的性质或情况，连接动词短语或形容词短语。例如：

（1）不同国家的儿童学习母语**既有**相同的地方，**又有**不同的地方。

(2) 他**既**是我的老板，**又**是我的朋友。

(3) 他的汉语**既**标准**又**流利。

(4) 西红柿炒鸡蛋**既**好吃做法**又**简单。

◎ 在下面 ⬭ 中的横线上再写两个形容词（或动词），然后从每个 ⬭
中选择两个合适的词语，用"既……又"组成正确的句子：

矮　高　瘦　聪明
好看　年轻　漂亮

清楚　流利　标准
好听　快　慢　好

破　旧　脏　贵
干净　便宜　好看

困　饿　渴　累
着急　紧张　生气

例如：我的朋友既年轻，又漂亮。

1. _____ 。

2. _____ 。

3. _____ 。

4. _____ 。

三、左右

助词，表示概数，一般用在数量短语的后面。例如：

(1) 孩子 <u>12 个月</u>**左右**的时候说出第一个词语。

(2) 大概 <u>18 个月</u>**左右**的时候孩子能说两个词语的句子。

(3) 我们俩昨天晚上聊天儿聊了<u>四个小时</u>**左右**。

(4) 我们的老师今年 <u>35 岁</u>**左右**。

(5) 坐出租汽车 <u>30 块钱</u>**左右**。

◎ 用"左右"回答下面的问题：

1. 你每天几点睡觉？几点起床？

2. 你每天大概学习多长时间？

3. 你一个星期大概学习多少个生词？

4. 在你们国家，人们一般多大结婚？

5. 在你们国家去饭馆儿吃饭，一个人大概要花多少钱？

四、地方

可以表示具体意义，意思是某一区域或空间的某一部分、某一部位；也可以表示抽象的意义，相当于"部分""方面"。例如：

	A	
这个	地方	我没来过。
很多人不习惯这个	地方	的天气。
寒假我打算去中国最冷的	地方	——哈尔滨。
我们经常到中国一些小城市旅行。那些	地方	能讲英文的人很少。

B

不同国家的儿童学习母语既有相同的　地方　，又有不同的地方。

刚来中国的时候不习惯的　地方　很多。

你看这个字这个　地方　写得不对。

这篇文章中错误的　地方　很多。

◎　上面 A 中"地方"的意思是＿＿＿＿＿＿；B 中"地方"的意思是＿＿＿＿＿＿。下面句子中的"地方"是哪一个意思？

1. 我觉得学汉语最难的地方就是汉字。　　　　（　　　　）

2. 在你去过的地方中，你最喜欢哪儿？　　　　（　　　　）

3. 这里是我爷爷曾经住过的地方。　　　　　　（　　　　）

4. 练习有什么不清楚的地方可以问小王。　　　（　　　　）

5. 有人的地方就有华人。　　　　　　　　　　（　　　　）

6. 我觉得她最好看的地方就是她的鼻子。　　　（　　　　）

7. 我对这个饭店最满意的地方就是他们的服务。（　　　　）

8. 这个地方最重要，考试可能会考。　　　　　（　　　　）

9. 这个地方真安静。　　　　　　　　　　　　（　　　　）

10. 我们去凉快一点的地方等他吧。　　　　　　（　　　　）

第二单元　单元练习

一、说说下面的字有什么相同的部分，请再写出几个这样的字：

例如：肚、脏：都有 月 ，这样的字还有：肝　脸　腿　脚

晚、明：都有＿＿＿，这样的字还有：＿＿＿＿＿＿＿＿＿＿

经、结：都有＿＿＿，这样的字还有：＿＿＿＿＿＿＿＿＿＿

如、好：都有＿＿＿，这样的字还有：＿＿＿＿＿＿＿＿＿＿

机、杯：都有＿＿＿，这样的字还有：＿＿＿＿＿＿＿＿＿＿

二、组词：

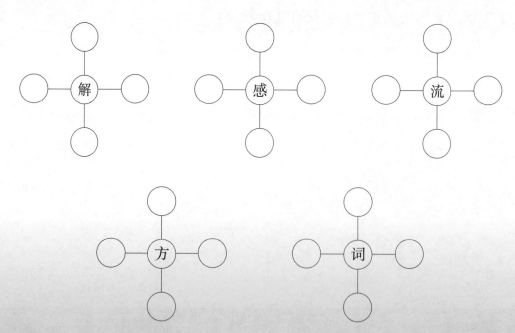

三、填写合适的量词：

一＿＿＿＿＿公司　　一＿＿＿＿＿电脑　　一＿＿＿＿＿照片

一＿＿＿＿＿饭馆　　一＿＿＿＿＿动作　　一＿＿＿＿＿专家

一＿＿＿＿＿方法　　一＿＿＿＿＿课　　　一＿＿＿＿＿话

四、填写合适的名词：

例如：准确的<u>情况／时间</u>

有用的＿＿＿＿＿＿＿　　　　严肃的＿＿＿＿＿＿＿

流利的＿＿＿＿＿＿＿　　　　标准的＿＿＿＿＿＿＿

奇怪的＿＿＿＿＿＿＿　　　　相同的＿＿＿＿＿＿＿

五、下面哪些词的后边可以加上"学"？哪些可以加上"家"？

心理　　　音乐　　　家庭　　　教育

语言　　　历史　　　小说　　　社会

画　　　　物理　　　新闻　　　经济

药　　　　电脑　　　政治　　　生活

1. 可以加"学"的词：
   例如：心理学、语言学

   ＿＿＿＿＿＿＿＿＿＿＿＿＿＿＿＿＿＿＿＿＿＿＿＿＿＿＿

   ＿＿＿＿＿＿＿＿＿＿＿＿＿＿＿＿＿＿＿＿＿＿＿＿＿＿＿

2. 可以加"家"的词：
   例如：画家、音乐家

   ＿＿＿＿＿＿＿＿＿＿＿＿＿＿＿＿＿＿＿＿＿＿＿＿＿＿＿

   ＿＿＿＿＿＿＿＿＿＿＿＿＿＿＿＿＿＿＿＿＿＿＿＿＿＿＿

六、选择合适的动词填空：

摸　呆　好　重复　解释　感激　对话　确定　比如　吃惊

1. 他们俩打算要结婚，但什么时候还没_____。

2. 我刚来中国的时候不敢和中国人_____。

3. 下面这些词语是什么意思？请你用自己的话_____一下。

4. 每个生词老师先读一遍，老师读完以后，我们再_____一遍。

5. 明明的脸红红的，好像感冒了。妈妈_____了一下他的头，原来是发烧了。

6. 小王虽然是个年轻人，但是_____静不_____动，就喜欢_____在房间里看书，不喜欢运动。

7. 昨天坐出租车的时候，我把包忘在车上了，出租车司机很快跟我联系，给我送来了包。我非常_____这位司机师傅。

8. 刚来中国的时候，最让我_____的是一些地方的厕所里没有门。

（厕所：WC）

七、下面的句子对吗？如果不对，请改正：

例　如：请帮忙我一下。（不对）

应该说：请帮我一下。／请帮我个忙。

1. 我请他帮忙修电脑。

2. 帮忙我拿一下行李好吗？

3. 你帮了我一个大忙，太感谢你了。

4. 帮帮忙，给我点钱吧，我已经三天没吃东西了。

5. 他既是我的老板，又他是我的朋友。

6. 我不曾经去过中国东北。

7. 我的汉语不如他。

八、阅读《买东西也能学汉语》，并完成练习：

（一）将下面的词填入适当的空格处：

> 词语 普通话 方言 标准 流利 口音 母语 听 说 动词 名词

A　我是一名日本留学生，去年来武汉大学留学。我要学的专业是社会学，但是先得把汉语学好。学好汉语以后才能和中国学生一起学习专业。我已经在武汉大学学了四个多月的汉语了。

武汉 Wǔhàn: *capital of Hubei Province*

专业 zhuānyè: special field of study

B　新年前一天，我听说家乐福所有东西都打折，就和两个朋友一起去了。我们是坐公共汽车去的。车上的人说话，有的我听得懂，有的听不懂。如果他们讲_____，即使不太_____，大概的内容我也可以理解；如果他们讲_____我就听不懂了。

家乐福 Jiālèfú: Carrefour, *name of a supermarket*

打折 dǎ zhé: *sell at a discount*

C　那天家乐福的人特别多，一进商店，门口的两位小姐就热情地对我们说："您好，欢迎光临!"我们一边看，一边拿我们要的东西。有的服务员还给我们介绍商品有什么用、怎么用等等。开始的时候，他们讲的是_____，说得又快又不清楚。我们一点儿也听不懂。我告诉他们："请讲_____。"他们知道我们是外国人，就慢慢地用_____跟我们讲。那一天我们买了很多东西。

光临 guānglín: *be present (of a guest)*

D　很多日本人都觉得汉语很好学，因为我们的_____——日语也使用汉字。汉字确实帮了我们日本人很大的忙，很多_____一看就知道是什么意思。不过，日语和汉语也有很

发音 fāyīn: pronunciation

过程 guòchéng: process

多不同的地方。语法方面，日语是名词在前边，动词在后边，比如，私はご飯を食べる（我饭吃）。汉语是"_____ + _____"，所以是"我吃饭"。日语的发音也比汉语简单，所以我觉得读和写比较容易，_____和_____比较难。我认为，要学好汉语，除了上课认真听以外，交中国朋友、看电视、买东西等也是学汉语的好机会。

E 女孩子都喜欢买东西，我也是这样。每个星期我最少要去买两次东西。在买东西的过程中，我的口语越来越_____。不过，我的普通话有点武汉_____。

（据〔日〕滨中叶子《学汉语》2000 年 11 月文章改写）

（二）文章中有一段话放的地方错了，是哪一段？你觉得应该放在什么地方？

（三）根据文章内容，回答下面的问题：

1. "我"到武汉大学学习什么？

2. 公共汽车上的人说的汉语，"我"都能明白吗？

3. 到了家乐福，开始的时候，"我"遇到了什么问题？

4. 为什么很多日本学生觉得汉语好学？

5. 日语和汉语有什么不一样？（最少要说两个方面）

6. "我" 觉得哪些办法可以帮助人们学好汉语？

7. "我" 喜欢买东西吗？多长时间去一次？

8. "我" 的汉语有进步吗？有没有问题？

九、写作：用下面的词语写一写你学汉语的情况（最少用 10 个）：

听　　说　　读　　写

标准　流利　口音

母语　普通话　方言

语法　发音　汉字　单词　词语　动词　名词

第三单元　单元热身活动

◎ 请你从下面的图中选一张，用几个词介绍一下图中的人，让你的搭
　档猜一猜你说的是哪张图中的人：

　　例如：长头发、大眼睛、鼻子高高的、圆脸……

第五课　她是我们的女儿吗?

词语

1. 甜	(形)	tián	sweet：① 这种苹果很好看，不过不~。｜② 古老肉又酸又~，我特别喜欢吃。｜③ 小姑娘笑得真~。
2. 微笑	(动)	wēixiào	smile：① 老师~着走进了教室。｜② 大家都喜欢看她~的样子。
3. 可爱	(形)	kě'ài	lovely; sweet：~的孩子｜~的小狗｜有人说孩子两三岁的时候最~。
4. 伤心		shāng xīn	sad：① 女朋友离开了他，他非常~。｜② 你的话伤了她的心。｜③ 你怎么哭了? 有什么~事?
5. 尽管※	(连)	jǐnguǎn	although; even though
6. 出生	(动)	chūshēng	be born：① 你是哪一年~的?｜② 他~在一个农民家庭。
7. 亲戚	(名)	qīnqi	relative; kin
8. 丈夫	(名)	zhàngfu	husband
9. 皮肤	(名)	pífū	skin：黄~｜黑~｜~病｜常常在太阳下面对~不好。
10. 头发	(名)	tóufà	hair (of the human head)
11. 金	(名)	jīn	gold：~色｜~发
12. 卷	(动)	juǎn	to roll; to curl：~(头)发｜吃烤鸭的时候，最后要把鸭肉~起来。
13. 夫妻	(名)	fūqī	husband and wife

14. 双	(形)	shuāng	dual; double (*often used before a noun*)：～手｜～脚｜～眼｜～眼皮｜～人房间
15. 眼皮	(名)	yǎnpí	eyelid
16. 直	(形)	zhí	straight：① 这条路很～。｜② 她的头发原来是～的，现在变成了卷发。
17. 明亮	(形)	míngliàng	bright：～的眼睛｜～的窗户｜～的教室
18. 单	(形)	dān	single (*often used before a noun*)：～眼皮｜～人(房间)
19. 号码	(名)	hàomǎ	number (*showing place in order*)：电话～｜房间～｜汽车～
20. 肯定	(形)	kěndìng	definite
21. 护士	(名)	hùshi	nurse
22. 当时	(名)	dāngshí	then; at that time
23. 对	(量)	duì	*measure word* (pair; couple)：一～夫妻｜一～杯子｜一～沙发
24. 地址	(名)	dìzhǐ	address：学校～｜公司～｜联系～
25. 敲	(动)	qiāo	to knock：～门｜～窗户｜我轻轻地～了几下门，没人出来。
26. 激动	(形)	jīdòng	excited：① 第一次看到自己的孩子，年轻的爸爸非常～。｜② 听到这个好消息，同学们～得叫了起来。｜③ 他流下了～的眼泪。
27. 雪白	(形)	xuěbái	像雪一样白 snow-white：～的衣服｜～的皮肤｜～的头发｜*很～
28. 交换	(动)	jiāohuàn	互相换 to exchange：～礼物｜～房间
29. 玩具	(名)	wánjù	toy

课 文

她是我们的女儿吗？

1　　结婚两年以后，西美和丈夫有了第一个孩子，他们非常高兴。

2　　现在，西美又抱起了孩子。她摸着孩子的头，孩子甜甜地对她微笑。看着孩子可爱的样子，西美也高兴地笑了。可是看了一会儿，西美又开始伤心起来——"尽管你很可爱，我和你爸爸也非常爱你，可你真的是我们的孩子吗？"

3　　孩子出生以后，从医院回到家中，亲戚朋友见了都挺吃惊，因为她长得既不像西美又不像西美的丈夫。西美和丈夫皮肤都很白，头发都是金色的卷发。夫妻俩都有一双大大的蓝眼睛，而且两个人都是双眼皮。可这孩子是咖啡色的皮肤，长着一头黑色的直发，一双小小的黑眼睛非常明亮，两只眼睛全是单眼皮。

4　　孩子九个月左右的时候，西美和丈夫又去了那家医院。"这是我们的孩子吗？"西美问。"她当然是你们的孩子。在我们医院，每个孩子出生以后，都有一个号码，你的孩子是6号，所以肯定错不了。"医生解释说。

一、根据课文，回答下面的问题：

1. 西美看着孩子，为什么伤心起来？

2. 西美的亲戚朋友看到孩子以后为什么都挺吃惊？

3. 西美的孩子是男孩还是女孩？你怎么知道的？

4. 医院怎么知道哪个孩子的妈妈是谁？

5. 西美和丈夫是怎么知道另一对夫妇的？那对夫妻有什么问题？

6. 西美是怎么找到自己的孩子的？

7. 两家的孩子为什么会抱错？

8. 抱回自己的孩子以前，两家的父母做了什么事情？

5　　西美和丈夫又去找那家医院的护士了解情况。一个护士告诉他们，当时有另一个孩子也和父母长得很不一样：父母皮肤颜色很深，可孩子皮肤颜色很浅；父母都是黑色的直发，但孩子是金色的卷发；父母是黑色的小眼睛、单眼皮，可孩子是蓝色的大眼睛、双眼皮。那个护士还告诉了他们那对夫妻的地址。

6　　西美带着孩子找到了那对夫妻的家。敲门以后，一个黑头发、黑眼睛，皮肤颜色很深的女人开了门。看见西美抱的孩子，她激动得哭了起来。进了门以后，西美发现一个皮肤雪白、长着一头金发的小女孩正用蓝蓝的大眼睛看着自己。西美马上知道这才是自己的孩子。两位母亲聊了起来，发现原来在医院里两个孩子的号码都是6号。

7　　两家找了一个时间换回了自己的孩子。那天，他们先谈了谈两个孩子的生活习惯，然后交换了孩子们的衣服和玩具，最后抱回了自己的孩子。

二、下面句子中哪些部分不对，请根据课文改正：

1. 西美和丈夫都有一双大大的黑眼睛。

2. 西美的孩子出生时的号码是 9 号。

3. 那家医院的医生帮助西美找到了自己的孩子。

4. 另一对夫妻的肤色很白。

5. 西美去另一对夫妻家的时候，那个女的一看见自己的孩子就高兴地笑了起来。

6. 最后两家交换了孩子和礼物。

三、根据课文第三段的内容填表：

	西美和她丈夫	孩　子
皮肤		
头发		
眼睛		
眼皮		

四、学过课文以后，你想用几句话告诉你的家里人这个故事，下面哪段话更合适？

1. 　一家医院的工作出了问题，两个孩子同一天在这家医院出生，他们给了两个孩子相同的号码。所以，出院的时候两家的父母抱错了孩子。回家以后，两家父母都觉得抱回家的不是自己的孩子，因为孩子和他们长得一点儿也不一样。过了九个月左右，其中一家的父母通过医院的护士找到了另一家，最后两家都找回了自己的孩子。

2. 一个女的在一家医院生了孩子。出院以后，总觉得这个孩子不是自己的，因为孩子长得不像她，也不像她的丈夫。孩子九个月左右的时候，她和她丈夫带着孩子又去了这家医院。医生向他们解释说不可能发生抱错孩子这样的错误，因为每个孩子出生时都有一个自己的号码。

语言点

一、尽管……，可（是）

表示让步，相当于"虽然"。用于已经有的情况。例如：

(1) **尽管**你很可爱，我和你爸爸也非常爱你，**可**你真的是我们的孩子吗？

(2) **尽管**自己开车不如坐公共汽车方便，**可是**买车的人还是越来越多。

(3) 中国菜**尽管**很好吃，**可**也不能天天吃。

(4) 两个人**尽管**吵了一架，**可是**吵完以后还是朋友。

◎ 用"尽管……可（是）"把 A、B 中的句子连起来，根据需要可以增加或者减少一些词语，在横线上写出正确的句子：

A	B
1. 孩子出生的时候都有一个号码。	a. 孩子都能学会自己的母语。
2. 你的血压不太高。	b. 医院给两个孩子的号码都是 6，所以两家抱错了。
3. 孩子每天都给家里打电话。	c. 她总是喜欢买很贵的东西。
4. 我已经学了三年汉语。	d. 妈妈总是为孩子担心。
5. 发 E-mail 很方便。	e. 你应该坚持每天吃药。
6. 有的孩子说话说得早，有的说得晚。	f. 我听不懂有口音的普通话。
7. 她常常说自己没有钱。	g. 我喜欢用纸笔写信。

例如：1. 尽管孩子出生的时候都有一个号码，可是医院给两个孩子的号

码都是6，所以两家抱错了。

2. _____

3. _____

4. _____

5. _____

6. _____

7. _____

二、起来

用在动词后边，表示动作开始，并有继续下去的意思。也可以用在形容词后边，表示某种状态开始发展，并且程度继续加深。例如：

(1) 想到老板的动作，我们都笑了**起来**。

(2) 看了一会儿，西美又开始伤心**起来**。

(3) 看见西美抱的孩子，她激动得哭了**起来**。

(4) 两位母亲聊了**起来**。

(5) 春节过去了，公司里的人又忙了**起来**。

> **动词／形容词＋起来**

◎ 用"起来"和括号中的词语完成下面的句子：

1. 和老板吵架以后，老王的血压_____。（高）

2. 孩子很晚还没有回家，妈妈_____。（担心／着急）

3. 老师一说到考试的事情，同学们_____。（紧张）

4. 听到女朋友要和别人结婚的消息，小王_____。（激动／伤心）

5. 小红等了很久，爸爸还没回来，_____。（吃）

6. 毛毛没有做完作业就_____，妈妈很生气。（玩）

三、……不了

用在动词或形容词后，表示没有可能怎么样、没有能力做某事，或者不能做完某事。有时"了"有"完"的意思（例2）。例如：

(1) 在我们医院，每个孩子出生以后，都有一个号码，你的孩子是6号，所以肯定错**不了**。

(2) 我们只有四个人，吃**不了**十个菜，别点那么多。

(3) 我们都会遇到自己一个人解决**不了**的问题，所以每个人都需要有朋友。

(4) A：明天晚上我们想去跳舞，你去吗？

  B：我要准备考试，所以去**不了**。

(5) A：你们打算什么时候结婚？

  B：现在没有房子也没有钱，所以还结**不了**婚。

动词／形容词＋不了（＋名词）

◎ 用"……不了"和所给的动词完成对话：

1. A：我能借一下你的自行车吗？

  B：我的自行车坏了，所以＿＿＿＿＿＿＿＿＿＿＿＿＿＿＿。（骑）

2. A：你好！我想往香港寄一只烤鸭。

  B：对不起，＿＿＿＿＿＿＿＿＿＿＿＿＿＿＿＿＿。（寄）

3. A：能帮我写一下今天的作业吗？

  B：＿＿＿＿＿＿＿＿＿＿＿＿＿＿＿＿＿＿＿＿。（帮）

4. 孩子：妈妈，明天我跟同学出去玩，您给我200块钱吧。

  妈妈：＿＿＿＿＿＿＿＿＿＿＿＿＿＿＿！100块就够了。（用）

5. A：后天是我的生日，我要开一个生日晚会，你能参加吗？

  B：对不起，＿＿＿＿＿＿＿＿＿＿＿＿＿＿＿＿（参加）

6. A：很长时间没有收到你的E-mail了，你在忙什么？

  B：真不好意思，我的电脑坏了，＿＿＿＿＿＿＿＿＿＿＿＿。（发）

7. A：你好像很累？

　　B：是啊，我的孩子晚上一直哭，＿＿＿＿＿＿＿＿＿＿＿＿＿＿＿＿。（睡觉）

8. A：明天我父母来，可我＿＿＿＿＿＿＿＿＿＿＿＿＿＿＿＿＿。（请假）

　　你能替我去接一下他们吗？

　　B：他们什么时候到？

　　A：明天上午 10 点到。

　　B：我可能＿＿＿＿＿＿＿＿＿＿＿＿＿＿（帮忙），明天上午我有考试。

四、先……，然后……，（最后……）

表示动作行为或情况事件发生的时间顺序。例如：

(1) 那天，他们**先**谈了谈两个孩子的生活习惯，**然后**交换了孩子们的衣服和玩具，**最后**抱回了自己的孩子。

(2) 放假以后，我**先**去其他地方旅行，**然后**回国。

(3) 我的朋友**先**买了汽车，**然后**开始学习开车。

(4) 写汉字一般是**先**写上面的部分，**然后**写下面的部分；**先**写左面的部分，**然后**写右面的部分。

(5) 各个地方吃饭的习惯都不一样，有的地方是**先**喝酒、吃菜，**然后**吃饭，**最后**喝汤；有的地方是**先**喝汤，**然后**再吃饭、吃菜。

◎ 用"先……，然后……，（最后……）"回答下面的问题：

1. 一会儿下课以后你打算做什么？

2. 放假以后你打算做什么？

3. 毕业以后你打算做什么？

4. 你知道怎么吃烤鸭吗？

5. 教新的一课时，你们以前的汉语老师怎么教？

6. 不同国家的儿童，学习自己母语的颜色词和语法时有什么不一样的地方？

第六课 颜色和性格

词语

1. 竞争	(动)	jìngzhēng	to compete：跟…~｜① 这几家公司经常互相~。｜② 我们公司跟他们~了几次，但都输了。｜③ 这家医院需要一名护士，有十个人来~。
2. 享受	(动)	xiǎngshòu	to enjoy：~生活｜~奖学金(scholarship)｜① 坐我们的飞机，您能~到最热情的服务。｜② 她很会~生活。
3. 从来※	(副)	cónglái	always；(have) never …：~不…｜~没(有)…
4. 快乐	(形)	kuàilè	happy：~的星期天｜快快乐乐｜① 祝你新年~！｜② 祝你生日~！｜③ 春节的时候，我想快快乐乐地玩几天。
5. 轻松	(形)	qīngsōng	relaxed：生活很~｜~的工作
6. 积极	(形)	jījí	positive；vigorous：~的态度｜① 他工作非常~。｜② 他~(地)参加学校的各种活动。
7. 乐观	(形)	lèguān	optimistic：~的态度｜对…表示~｜① 他是一个~的人。｜② 今年全世界的经济情况都不太~。｜③ 老板~地说："我们公司今年的情况肯定比去年好。"

8. 懒	(形)	lǎn	不喜欢劳动和工作，只喜欢休息和玩 lazy：① 我哥哥特别～，他的房间又脏又乱。｜② 小王是一个～人，一般很少出去活动。
9. 理想	(名)	lǐxiǎng	将来的打算、希望 aspiration：实现自己的～｜有～｜① 我小时候的～是当一名科学家。｜② 这样的～很难实现。
10. 内向	(形)	nèixiàng	introverted：～的人｜性格～｜他的性格很～，不太爱说话。
11. 梦想	(名)	mèngxiǎng	不能实现的理想 dream
12. 状况	(名)	zhuàngkuàng	situation：经济～｜生活～｜身体～
13. 安全	(形)	ānquán	safe：那个地方不太～，你别去了。
14. 难民	(名)	nànmín	refugee
15. 坚强	(形)	jiānqiáng	firm；strong：～的人｜～的性格｜① 虽然生活很困难，但妈妈非常～、乐观。｜② 比赛的时候，他觉得很不舒服，不过他～地跑完了。
16. 成功	(动)	chénggōng	succeed：在一个方面～的人不少，但在所有方面都～的人不多。
17. 房子	(名)	fángzi	house；building
18. 高级	(形)	gāojí	high-grade；high-quality：～手表｜～汽车
19. 印象	(名)	yìnxiàng	impression：～很深｜～很(不)好｜给某人留下…的～｜① 我和她只见过一次面，所以对她没有～了。｜② 找工作的时候，给老板的第一～非常重要。
20. 承认	(动)	chéngrèn	recognize；acknowledge：得到…的～｜小王的努力得到了大家的～。
21. 成熟	(形)	chéngshú	mature：思想很～｜～的想法｜虽然他还是个孩子，但思想已经很～了。

22. 年龄	（名）	niánlíng	岁数 age：～很大
23. 独立	（形）	dúlì	independent：① 大学毕业以后，我就开始～生活了。│② 以前中国的父母不习惯让孩子～生活。
24. 冷静	（形）	lěngjìng	calm：① 他～地想了想才开始回答我的问题。│② 你～点儿，生气也解决不了问题。
25. 胖	（形）	pàng	fat：～人│～孩子
26. 命运	（名）	mìngyùn	fate
27. 斗争	（动）	dòuzhēng	to struggle：和 ／ 跟…～
28. 放弃	（动）	fàngqì	to give up：～…(的)机会│～…(的)计划│昨天的比赛你怎么没参加？——我没有时间准备，所以～了。

◎ 你最喜欢什么颜色？最不喜欢什么颜色？向你的搭档了解一下他最喜欢和最不喜欢的颜色，把你们的情况填到下面的表中：

	最喜欢的颜色	最不喜欢的颜色
我		
我的搭档		

课 文

颜色和性格

1　　红色代表热情。如果你最喜欢的颜色是红色，那么你很可能喜欢竞争、好跟人比赛。你可能是一个很好的领导，还特别喜欢享受生活。如果你最不喜欢红色，那么你对生活的要求可能不太高，你也不太喜欢试自己从来没做过的事情。

2　　黄色代表快乐和轻松。喜欢黄色的人一般都很积极、乐观，觉得生活很容易，不会有大问题。这种人从来都不为生活和工作担心。他们不会太懒，工作可能非常努力，但常常不能坚持很长时间。如果你最喜欢黄色，说明你很有理想，喜欢过快乐的生活；如果你最不喜欢黄色，这代表你比较内向，总是怕自己的希望和梦想实现不了，还怕被别人批评。

3　　对棕色的态度代表你对自己身体状况和经济状况的认识。最喜欢棕色的人一般比较紧张，总觉得自己不安全。担心自己身体不太健康的人一般也喜欢棕色。安全的环境对这种人很重要，例如很多难民最喜欢的就是棕色。如果你最不喜欢棕色，那么你可能不太关心自己的健康状况，不过，要注意的是——你可能不如你想象的那样健康。

4　　绿色代表坚强、不喜欢变化。如果你最喜欢绿色，那么你可能很成功。你喜欢买东西，像大房子、好汽车、高级手表。你希望给人留下印象、得到别人承认，但有点为自己的将来担心。

5　　最喜欢紫色的人，身体和精神可能都不太成熟，他们的生活是一个希望和梦想的世界。已经过了梦想年龄的人常常不太喜欢紫色。

6　　如果你最喜欢的是灰色，那么你大概比较独立，不喜欢和别人一起活动。如果你最不喜欢灰色，那么你可能是个很热情的人。

7　　蓝色代表冷静。最喜欢蓝色的人总是能控制自己的生活，而且对一切都很满意。这种人希望自己的生活不太复杂，没有太多担心的事。不过，因为对一切都很满意，所以你可能会有点胖。

8　　黑色表示否定。最喜欢黑色的人（这种情况很少）常常需要和自己的命运斗争。如果你第二喜欢的颜色是黑色，这表示为了得到自己想要的，你可以放弃一切。最不喜欢黑色的人常常能掌握自己的命运。如果你最喜欢黄色，然后是黑色，那么你的生活会发生变化。

（根据 *Luscher Color Test* 改写，O'Connell, S.
（1992）*Focus on Advanced English*：CAE. Longman）

一、根据课文内容和你的搭档喜欢的颜色，他(她)有什么样的性格?你同意课文中的说法吗? 你和你的搭挡觉得人的性格和什么有关系?

二、根据课文内容，把代表不同颜色的字母填到下面的□里：

红色＝A　　　　棕色＝E
黄色＝B　　　　灰色＝F
紫色＝C　　　　蓝色＝G
绿色＝D　　　　黑色＝H

例如：热情的人一般都喜欢　　 A

1. 乐观的人一般都喜欢　　　 □

2. 独立的人一般都喜欢　　　 □

3. 坚强的人一般都喜欢　　　 □

4. 冷静的人一般都喜欢 □

5. 热情的人一般不喜欢 □

6. 成熟的人一般不喜欢 □

7. 内向的人一般不喜欢 □

8. 喜欢哪两种颜色的人生活会出现变化? □ □

9. 哪些颜色可能是你比较喜欢的?

　①如果你喜欢买高级的东西 □

　②如果你喜欢和人竞争 □

　③如果你不喜欢和别人一起活动 □

　④如果你需要得到别人的承认 □

　⑤如果你对自己的生活很满意 □

10. 哪些颜色你可能不太喜欢?

　①如果你对生活的要求不高 □

　②如果你没有很多梦想 □

　③如果你不太担心自己的身体状况 □

　④如果你不喜欢试自己没做过的事情 □

语言点

一、从来

表示从过去到现在一直都是这样，多用于否定句。例如：

（1）如果你最不喜欢红色,你可能不太喜欢试自己**从来**没做过的事情。

（2）喜欢黄色的人**从来**都不为生活和工作担心。

(3) 丈夫：结婚以后，你**从来**没做过饭、洗过衣服。

妻子：结婚以后，你**从来**没8点以前起过床。

丈夫：你**从来**不去看我的父母。

妻子：我生日的时候，你**从来**不送花给我。

丈夫：你呢，你**从来**不关心我。

妻子：你**从来**都没爱过我。

> 从来（都）+ 不 + **动词**
>
> 从来（都）+ 没（有）+ **动词** + 过

◎ 根据你自己的情况回答下面的问题，需要时请用"曾经"或者"从来"：

1. 你去过中国的东北吗？

2. 你和父母吵过架吗？

3. 你开过玩具汽车吗？

4. 在你们国家，你参加过什么重要的比赛？

5. 你想过自己老了以后的生活吗？

6. 你给报纸写过文章吗？

7. 你读过中文小说吗？

8. 来中国以前，你工作过吗？

9. 你坐过中国的火车吗？

10. 你向银行借过钱吗？

二、比较

表示具有一定的程度。可以用在形容词、动词前边。不用于否定式，不用于"比"字句。例如：

(1) 如果你最不喜欢黄色，这代表你**比较**内向。

(2) 最喜欢棕色的人一般**比较**紧张，总觉得自己不安全。

(3) 如果你最喜欢的是灰色，那么你大概**比较**独立。

(4) 小时候女孩子**比较**愿意和爸爸在一起。

(5) 人们一般**比较**相信专家的话，所以有的公司常常找专家帮他们做广告。

（一）请介绍一下你的老家（hometown），谈谈那儿的天气、人们的工作和生活，多用"比较"：

例如：我们老家春天比较短，夏天很热，秋天比较舒服，不冷也不热
……

_____

_____

_____

（二）请你的搭档用"比较"和下面的词语，说说在他（她）的印象中，不同国家的人有什么样的特点。你同意他（她）的看法吗？

认真	客气	友好	热情	痛快	努力	懒
紧张	严肃	有理想	快乐	积极	乐观	内向
喜欢享受		喜欢竞争		喜欢买东西		不喜欢变化

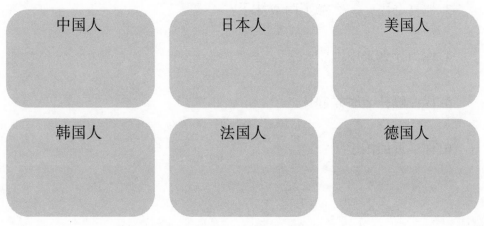

中国人　　　　　　日本人　　　　　　美国人

韩国人　　　　　　法国人　　　　　　德国人

_____人

三、为了

表示目的。例如：

(1) 如果黑色是你第二喜欢的颜色，这表示**为了**得到自己想要的，你愿意放弃一切。

(2) **为了**找工作，上周我回了一趟国。

(3) **为了**让自己的脚暖和一点，他穿了两双袜子。

(4) **为了**上课不迟到，我每天7点就起床。

(5) 我每天上网，是**为了**给朋友们发E-mail。

(6) 我来中国是**为了**学习汉语，同时也是**为了**了解中国。

(7) 我写日记不是**为了**以后给别人看。

(一) 选用上面的例句，回答下面的问题：

1. 你写的日记以后可以出书吧？

2. 你为什么每天都上网？

3. 他真奇怪，怎么穿了两双袜子？

4. 你为什么来中国？

5. 你一般什么时候起床？

6. 你最近回国了吗？

（二）用"为了"完成下面的句子：

1. 为了学好汉语，＿＿＿＿＿＿＿＿＿＿＿＿＿＿＿＿＿＿＿＿＿。

2. 为了找到一个好工作，＿＿＿＿＿＿＿＿＿＿＿＿＿＿＿＿＿。

3. 为了能赢这场比赛，＿＿＿＿＿＿＿＿＿＿＿＿＿＿＿＿＿＿。

4. 为了身体健康，＿＿＿＿＿＿＿＿＿＿＿＿＿＿＿＿＿＿＿＿。

5. ＿＿＿＿＿＿＿＿＿＿＿＿＿＿＿＿＿＿＿＿，我来中国学习汉语。

6. ＿＿＿＿＿＿＿＿＿＿＿＿＿＿＿＿＿＿＿＿，他交了很多中国朋友。

7. ＿＿＿＿＿＿＿＿＿＿＿＿＿＿＿＿＿＿，丽丽每天只吃两顿饭。

8. ＿＿＿＿＿＿＿＿＿＿＿＿＿＿＿＿，每个公司都花很多钱做广告。

9. ＿＿＿＿＿＿＿＿＿＿＿＿＿＿＿，我们国家的领导人访问了中国。

第三单元　单元练习

一、说说下面的字有什么相同的部分，请你再写出几个这样的字：

例如：地、址：都有 <u>土</u> ，这样的字还有：<u>填空、环境、坚强、坐、块</u>

担、找：都有＿＿＿＿，这样的字还有：＿＿＿＿＿＿＿＿＿＿＿＿＿＿

次、冷：都有＿＿＿＿，这样的字还有：＿＿＿＿＿＿＿＿＿＿＿＿＿＿

对、双：都有＿＿＿＿，这样的字还有：＿＿＿＿＿＿＿＿＿＿＿＿＿＿

热、点：都有＿＿＿＿，这样的字还有：＿＿＿＿＿＿＿＿＿＿＿＿＿＿

二、组词：

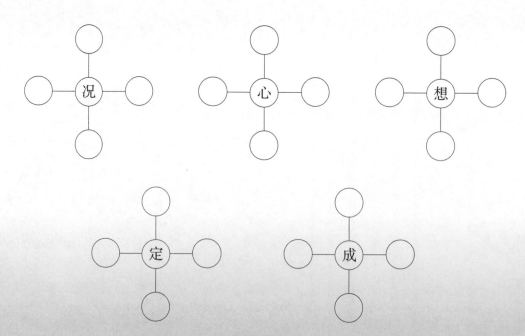

三、学习和练习表示"外表""性格"的词语：

（一）找出第五课中描写人的外表的词语或句子（至少 6 个词语或句子）：

_____

_____

_____

_____

（二）找出第六课中描写人的性格的词语或句子（至少 6 个词语或句子）：

_____

_____

_____

_____

（三）用描写外表的词语介绍下面的图：

（四）用上面（一）（二）中所学的词语，说说班里某个同学的样子、性格，请你的搭档猜一猜你说的是谁。

四、学习和练习表示颜色的词语：

（一）根据例子，解释下面词语的意思：

例如：金色＝像黄金一样的颜色　　咖啡色＝像咖啡一样的颜色

茶色＿＿＿＿＿＿＿＿＿＿＿　　　橙色＿＿＿＿＿＿＿＿＿＿＿

肉色＿＿＿＿＿＿＿＿＿＿＿　　　草色＿＿＿＿＿＿＿＿＿＿＿

（二）根据例子，选择合适的词语填空：

> 雪　月　草　海　金　米　苹果　天　血　银（yín silver）
> 漆（qī lacquer）

例如：　_雪_　白（＝像雪一样白）　　　_漆_黑（＝像漆一样黑）

＿＿＿＿＿黄　　　＿＿＿＿＿绿　　　＿＿＿＿＿红

＿＿＿＿＿蓝　　　＿＿＿＿＿白　　　＿＿＿＿＿灰

五、从第五课和第六课中找出跟下面词语意思相反的词：

例如：外向：内向

双：＿＿＿＿＿＿　　　　　直：＿＿＿＿＿＿

深：＿＿＿＿＿＿　　　　　懒：＿＿＿＿＿＿

伤心：＿＿＿＿＿＿　　　　轻松：＿＿＿＿＿＿

冷静：＿＿＿＿＿＿　　　　肯定：＿＿＿＿＿＿

六、填写合适的量词：

一_____眼睛　　一_____夫妻　　一_____黑发　　一_____医院

七、填写合适的名词：

例如：炒 <u>鸡蛋 / 茄子</u>

敲_____　　　　交换_____　　　　承认_____

享受_____　　　　放弃_____　　　　掌握_____

安全的_____　　　可爱的_____　　　明亮的_____

八、阅读《穿凉鞋打球的中国人》，并完成有关的练习：

（一）选择合适的词语或格式填在文章中的空白处(有的可以用多次)：

为了	比较	从来
不仅……而且	先……然后	尽管……可是

1　我父亲最近有了一个新爱好——旅行，_____旅行，他给自己买了很多装备，如旅行用的鞋、衣服、杯子等等，像旅行家一样。在美国，人们如果对一件事有了兴趣，可能会_____准备好全套装备①，_____才开始做。我想，人们喜欢装备的一个原因可能是：它能很快地改变一个人的身份②，使我们有一个新"面具"③，去适应新的环境。

2　我是美国加州大学的学生，今年暑假在中国深圳④工作了两个月。在这段时间里，我注意研究身边的每位中国人，给我印象最深的是他们那种"我就是这个样子"的态度和_____不改变自我的表现⑤。_____我了解的中国人还不够多，_____我见到的中国人确实都这样。

3　在我们深圳公司的第一次集体旅行中，我看到女同事们_____穿着裙子⑥，_____还穿着高跟鞋⑦，男同事就穿着他们平时上班穿的衬衫⑧，玩的时候还在不停地吸烟。开始我觉得很奇怪，他们为什么跟在公司上班一样呢？后来我慢慢地发现，中国人一般不会因为环境的改变而改变自己，他们表现得更多的是自己真实⑨的一面：吸烟的人就是要吸烟，穿高跟鞋的人就是要穿高跟鞋。他们好像认为，平时在工作中是什么样的人，在旅行中、在玩的时候也还是这样的人，不需要特别表现自己，不需要换一副新"面具"。

4　　不论工作时是医院的大夫还是公司老板，一到球场上，美国人就会完全变成另外一个人。他们会身上穿着公牛队⑩的队服，脚上穿着200美元一双的耐克⑪运动鞋，把自己当作一个篮球运动员，完全和他们本来的身份不同。在中国，我看到的却是另一种情况：大家穿着各式各样的衣服，有的穿着牛仔裤⑫，有的穿着凉鞋，有的连上衣都不穿。他们没把自己当作一个球员，他们只是想玩玩球，并且大家玩得也都＿＿＿＿＿＿＿开心。他们玩球不是＿＿＿＿＿＿＿表现给别人看。

（据《环球时报》文章改写）

注：
①	装备	zhuāngbèi	equipment
②	身份	shēnfèn	social or legal status; identity
③	面具	miànjù	mask
④	深圳	Shēnzhèn	*a city in southern China, near Hong Kong*
⑤	表现	biǎoxiàn	manifestation
⑥	裙子	qúnzi	skirt；dress
⑦	高跟鞋	gāogēnxié	high-heeled shoes
⑧	衬衫	chènshān	shirt
⑨	真实	zhēnshí	true；real
⑩	公牛队	Gōngniú Duì	the Chicago Bulls
⑪	耐克	nàikè	Nike
⑫	牛仔裤	niúzǎikù	jeans

（二）请根据文章内容说说中国人和美国人有什么不同，并填写下面的表：

	中国人	美国人
旅行时		
球场上		

（三）你觉得人需要根据新的环境改变自己的身份或形象吗？请谈谈你
的看法。

九、写作：用本单元学习的词语写一个人，主要介绍这个人的样子和
性格（题目可以是：我的朋友／哥哥／姐姐／同屋／老师……）。

第四单元　单元热身活动

一、你喜欢做下面这些事吗？你还有别的爱好吗？

听音乐　看电影　看小说　打球　游泳　跳舞　上网　做饭　学外语
修东西　弹钢琴　弹吉他　旅行　跑步　爬山　唱歌　和中国人聊天

别的爱好：＿＿＿＿＿＿＿＿＿＿＿＿＿＿＿＿＿＿＿＿＿＿

二、问问你的搭档，了解他（她）最大的爱好是什么：

1. 他（她）什么时候开始有这样的爱好？

2. 他（她）为什么喜欢做这件事？

3. 这样的爱好对他（她）的学习、生活或工作有什么好的和不好的影响？

4. 他（她）常常做这件事吗？

　　……

第七课　唱　片

词语

1. 唱片	(名)	chàngpiàn	(gramophone) record：一张～
2. 共同	(形)	gòngtóng	common：～点｜① 这两个国家有很多～点。｜② 她和她丈夫～点那么少，结婚以后没问题吗？
3. 巧	(形)	qiǎo	skilful; dexterous：妈妈的手特别～，做的饭特别好吃，做的衣服和买的一样。
4. 修	(动)	xiū	to repair; to fix：～自行车｜～电视机｜～手表｜～汽车｜～好了
5. 感兴趣※		gǎn xìngqù	to be interested：对…～
6. 相当※	(副)	xiāngdāng	quite; fairly：～贵｜～便宜｜～好｜～难
7. 扔	(动)	rēng	to throw away；discard：① 把不要的东西都～掉。｜② 这双袜子破了，～了吧。
8. 之后※		zhīhòu	after：下课～｜起床～
9. 碎	(动)	suì	be broken (in pieces)：① 弟弟的碗～了。｜② 窗户被打～了。｜③ 孩子又打～了一个杯子。
10. 业余	(形)	yèyú	工作时间以外的 amateur（*only used before a noun*）：～时间｜～爱好｜～生活｜～活动

11. 爱好	(名)	àihào	喜欢做的事情 hobby：有…的~｜他的~是唱歌。
12. 古典	(形)	gǔdiǎn	classic：~音乐｜~文学
13. 脑子	(名)	nǎozi	brain：用~｜~很聪明
14. 交响乐	(名)	jiāoxiǎngyuè	symphony
15. 兴奋	(形)	xīngfèn	excited
16. 盯	(动)	dīng	一直看一个地方 stare：① 你为什么一直~着我看？我脸上有脏东西吗？｜② 小王眼睛~着电视，妻子跟他说话他也没听见。
17. 根本※	(副)	gēnběn	at all；simply
18. 急忙	(形)	jímáng	in a hurry：① 听到有人敲门，小王~去开门。｜② 你们急急忙忙地去哪儿啊？
19. 终于	(副)	zhōngyú	finally；eventually
20. 好听	(形)	hǎotīng	pleasant（to ears）~的音乐｜~的声音｜① 这个歌真~。｜② 他唱得特别~。
21. 小心	(形)	xiǎoxīn	careful；cautious：① 我们学校周围的交通有点乱，过马路的时候一定要~。｜② 刚才用你电脑的时候，我不~删（shān, to delete）了一个文件。｜③ 吃这种鱼的时候，你要~。｜④ 去他们家玩，你要~他们家的狗。那只狗对人常常太热情。
22. 厨房	(名)	chúfáng	kitchen
23. 煮	(动)	zhǔ	to boil；cook：① 方便面不~就能吃｜② ~肉的时候放点啤酒，肉特别香｜③ 我每天早饭都吃~鸡蛋。

24. 之前※		zhīqián	before：上课~｜睡觉~
25. 难道※	(副)	nándào	adverb (*used in a rhetorical question to make it more emphatic, may occur at the head of the question.*)
26. 之间※		zhījiān	between；among
27. 盒子	(名)	hézi	box；case
28. 一模一样		yì mú yí yàng	完全一样 the same；equally；alike：① 你这件衣服和我昨天买的~。｜② 照片上这位跟你长得~的人是谁?是你姐姐吗? ——那是我妈!
29. 克隆	(动)	kèlóng	to clone
30. 烧	(动)	shāo	to burn：① 把信都~了。｜② 挺漂亮的房子被火~掉了。
31. 形状	(名)	xíngzhuàng	shape (of something)

专　名

| 1. 莫扎特 | Mòzhātè | Mozart |
| 2. 贝多芬 | Bèiduōfēn | Beethoven |

◎　**用刚学过的词语回答下面的问题：**

1. 你喜欢听什么音乐?

2. 你和你最好的朋友有什么共同点和不同点?

3. 业余时间你常常做什么?

4. 你认为克隆技术对人有什么影响?克隆人呢?

课 文

一、阅读课文的第一部分(1—3 段)，说一说李一巧和"我"有什么不同。

唱　片

二、根据课文第一部分，回答下面的问题：

1. 李一巧对什么感兴趣？请举两个例子说说他的手怎么巧。

2. "我"有什么业余爱好？

3. "我"对一巧的希望是什么？

4. "我"怎么知道一巧没有听"我"谈音乐的事？

5. 请用一句话概括第2、3段的内容。

1　李一巧和我没有什么共同点，有时候连我自己都奇怪，我们俩怎么会成了好朋友。

2　李一巧手特别巧，对做东西、修东西特别感兴趣。我有一本书已经相当破了，打算扔掉，他知道以后拿回家去，几天之后，我的书变成了一本新书又回到了我的手中。我的花瓶打碎了，他修了以后，花瓶和打碎前一模一样。

3　我自己只有一个业余爱好，就是听古典音乐。我买了很多唱片，脑子里总是想着交响乐、莫扎特、贝多芬。我一直希望一巧也对音乐感兴趣。有一次听得兴奋，我花了很长时间给他讲这音乐怎么怎么好。他呢，一直盯着桌子上的一只玩具猴子。我看到他那双大大的眼睛就知道他根本没有听我说话。"你在不在听我说话？"我生气地问。他指了指那只玩具猴子，对我说："有机会我替你再做一个。"

三、阅读课文第二部分(4—12段)，说说"我"为什么把唱片送给一巧。

4　一个星期六下午，我买完东西急急忙忙回家，因为我刚刚花很多钱买了一张贝多芬的唱片。这张唱片我已经找了很长时间，现在终于买到了。刚刚听完一遍，一巧来了。这唱片太好听了，我兴奋地给一巧介绍。他坐下以后，说的第一句话是："你的猴子呢？"我告诉他我不小心打碎了，所以就扔了。

5　我到厨房去煮咖啡，走之前对一巧说："好好听听，你肯定会喜欢的。"

6　不一会儿，我从厨房出来，发现一巧盯着我的新唱片，脸上带着微笑，眼睛发亮，难道他喜欢上了音乐？我开始高兴起来。

7　"你喜欢这张唱片吗？"我兴奋地问。

8　"嗯。"

9　"拿回去！"尽管我很喜欢这张唱片，可是一巧也开始喜欢它，想到以后可以跟一巧一起听音乐，我决定把这张唱片给他。

10　"不合适吧，这张唱片你刚刚……"

11　"好朋友之间不用客气。"

12　"那太好了。"

四、根据课文第二部分，回答下面的问题：

1. 那个星期六的下午"我"为什么急急忙忙回家？

2. 一巧对"我"的新唱片感兴趣吗？他对什么最感兴趣？

3. 从厨房出来后，"我"为什么高兴？

4. 为什么一巧觉得"我"送他唱片不合适？

5. 请猜一下后来发生了什么事情。

五、读课文最后一部分(13—17 段)，看看你猜得对不对。

13   几天后，他来找我，给了我一个漂亮的小盒子。我打开盒子，
   里面是一只猴子，跟我打碎的一模一样，我很吃惊。

14   "太好了！你做的？"

15   "那当然。"

16   "你是怎么'克隆'出来的？"

17   "很简单，我在一本书上看到，唱片烧了之后可以做成各种
   形状的东西。"

(根据王宗宽编译的《唱片》改写，《青年文摘》2000 年第 11 期)

六、根据文章的最后一部分，回答下面的问题：

   1. 几天后一巧带来了什么?

   2. 收到一巧的"猴子"，"我"会怎么样?

七、请你试试为这篇课文写一个新的结尾。

语言点

一、感兴趣

喜欢、关心、关注某事。注意：要说"对……感兴趣"，不能说"感兴趣……"。例如：

(1) 李一巧手特别巧，对做东西、修东西特别**感兴趣**。

(2) 我只对古典音乐**感兴趣**，我一直希望一巧也对音乐**感兴趣**。

(3) 爸爸对做饭不**感兴趣**，但是对吃饭很**感兴趣**。

(4) 对电脑**感兴趣**的老人现在越来越多。

◎ **说一说你和你的家人对什么感兴趣。**

二、相当

表示程度高。例如：

(1) 我有一本书已经**相当**破了，打算扔掉。

(2) 现在不愿意结婚的人**相当**多。

(3) 今年春节，**相当**多的人打算去国外旅行。

(4) 上海冬天比较冷，北京的冬天**相当**冷，哈尔滨的冬天非常冷。

> 相当 + 形容词

◎ **用"相当"完成下面的句子：**

1. 我们都叫他"瘦猴"，因为他＿＿＿＿＿＿＿＿＿＿＿＿＿。

2. 圣诞节的时候，＿＿＿＿＿＿＿＿＿＿＿＿＿＿＿＿。

3. A：你觉得这儿的东西贵吗？

   B：＿＿＿＿＿＿＿＿＿＿＿＿＿＿＿＿＿＿＿＿。

4. A：你觉得最近几年中国有什么变化？

   B：＿＿＿＿＿＿＿＿＿＿＿＿＿＿＿＿＿＿＿＿。

5. A：你为什么总喜欢去那儿吃饭？

   B：_____。

三、根本

从头到尾，完全。多用于否定句，一般否定的是某种情况的前提。例如：

1. "你喜欢这个音乐吗？"我问一巧。可是看到他那双大大的眼睛，我就知道他**根本**没有听我说话。（→他没有听我说话，所以他没有回答我的问题。）

2. A：昨天晚上我在学校旁边的酒吧里看见你了。 （酒吧：bar）

   B：不可能，昨天晚上我**根本**没出去。 （没出去→没有去酒吧）

3. A：昨天晚上小王过生日，你去了吗？

   B：我**根本**不知道这件事。 （不知道＜小王过生日＞→没去）

   （*B：我**根本**没去。）

◎ **根据括号内的提示，用"根本"回答下面的问题：**

例如：甲：你这张照片是在日本照的吗？（<u>没去过日本</u>→不是在日本照的）

　　　乙：<u>不是，我根本没有去过日本。</u>

1. A：啤酒没关系，喝一点吧。 （<u>不会喝酒</u>→不喝）

   B：_____。

2. A：大家都在看足球比赛，你怎么不看啊？ （<u>不感兴趣</u>→不看）

   B：_____。

3. A：烤鸭很好吃，你为什么不吃？ （<u>不吃肉</u>→不吃）

   B：_____。

4. A：听说你打算要买汽车。 （_____→不打算买）

   B：_____。

5. A：放假的时候你不出去旅行吗？ （_____→不去旅行）

   B：_____。

6. A：大学毕业以后，你还打算继续学习吗？ （_____→不打算继
      续学习）

   B：_____。

四、不一会儿

很短的一段时间。可以单独使用，也可以放在动词前。例如：

(1) **不一会儿**，我从厨房出来，发现一巧盯着我的新唱片。

(2) 他真的很饿了，一斤饺子**不一会儿**就吃完了。

(3) 小明刚到幼儿园的时候，还哭着要妈妈，**不一会儿**就和别的小朋友
    玩起来了。

(4) 我们爬上长城，**不一会儿**就下起了雨。

(5) 上网**不一会儿**，就有人找我聊天。

(6) 躺在床上看书，**不一会儿**就睡着了。

◎ 用"不一会儿"完成下面的句子：

1. 这次考试他准备得很好，_____。

2. 今天真热，_____。

3. 他修电脑的水平很高，_____。

4. 妈妈做饭很快，_____。

5. 他和朋友一起去喝酒，_____。

6. 昨天我们的作业很少，_____。

五、难道

加强反问语气，句尾常有"吗"配合使用。例如：

(1) 我从厨房出来，发现一巧盯着我的新唱片，脸带微笑，眼睛发亮，
    难道他喜欢上了音乐？

（2）儿子：爸爸，能给我根烟吗？

爸爸：小孩子抽烟不好!

儿子：**难道**大人抽烟就好吗？

（3）妈妈：你怎么可以和小朋友打架呢？（打架：to fight）

孩子：可是他先打我的。

妈妈：那你应该先回来告诉我。

孩子：**难道**妈妈想帮我一起去打他吗？

（4）服务员：如果你不付钱，我就叫警察。（警察 jǐngchá：policeman）

顾　客：**难道**你希望警察为我付钱吗？

◎ **完成下面的对话：**

1. A：我打算马上回国。

B：＿＿＿＿＿＿＿＿＿＿＿＿＿＿＿＿＿？ （难道）

A：不，我还要继续学汉语。

2. A：我想换宿舍。

B：＿＿＿＿＿＿＿＿＿＿＿＿＿＿＿＿＿？ （难道）

A：＿＿＿＿＿＿＿＿＿＿＿＿＿＿＿＿＿。

3. A：今天天气不好，我不想学习。

B：＿＿＿＿＿＿＿＿＿＿＿＿＿＿＿＿＿？ （难道）

A：＿＿＿＿＿＿＿＿＿＿＿＿＿＿＿＿＿。

4. A：明天我们几点出发？

B：出发去哪儿？

A：＿＿＿＿＿＿＿＿＿＿＿＿＿＿＿＿＿？ （难道）

B：＿＿＿＿＿＿＿＿＿＿＿＿＿＿＿＿＿。

六、之后、之前、之间

之后：表示在某个时间后面，也可指处所或顺序。多用于书面。前边可以是名词或动词短语。

之前：表示某个时间或处所的前面，多用于书面。

之间：在两端的距离以内或两个事物中间，可以用来指数量、时间、处所和关系等等。不能单独使用。例如：

(1) 几天**之后**，我的书变成了一本新书回到了我的手中。

(2) 唱片烧了**之后**可以做成各种形状的东西。

(3) 我到厨房去煮咖啡，走**之前**对一巧说："好好听听，你肯定会喜欢的。"

(4) 我觉得张老师大概在六十到六十五岁**之间**。

(5) 这个故事发生在秋冬**之间**。

(6) 两个楼**之间**有个小花园。 （花园：garden）

(7) 好朋友**之间**不用客气。

◎ **用括号中的词回答下面的问题：**

1. 你是什么时候决定来中国留学的？ （之前／之后）

2. 在你们国家，年轻人从多大可以开始喝酒？ （之前／之后）

3. 你打算什么时候回国？ （之前／之后）

4. 你知道这个学校有多少学生吗？ （之间）

5. 你觉得性格和什么有关系？ （之间）

第八课　音乐和邻居女孩

词语

1. 邻居	(名)	línjū	neighbour
2. 租	(动)	zū	花钱用别人的东西 to rent：～房子｜～汽车｜～书
3. 美丽	(形)	měilì	漂亮 beautiful：～的风景｜～的女孩儿
4. 迷	(名)	mí	特别喜欢某人或某事的人 fan：歌～｜舞～｜电影～｜足球～
5. 热爱	(动)	rè'ài	特别喜欢 have deep love for：～自己的国家｜～音乐｜～工作｜对工作的～｜对音乐的～｜*～丈夫｜*～女朋友
6. 下班		xià bān	结束一天的工作 finish one's daily work; return from work
7. 便	(副)	biàn	就〈书面语〉as early / little as：① 我下了班～回家。｜② 大学一毕业，他们～结了婚。
8. 录音机	(名)	lùyīnjī	tape recorder：一台～
9. 浪漫	(形)	làngmàn	romantic
10. 优美	(形)	yōuměi	fine; graceful：～的风景｜～的环境｜～的歌曲｜动作～｜歌声～
11. 自由	(形)	zìyóu	free; unrestrained：① 离开父母独立生活很～。｜② 工作以后就不如当学生那样～了。
12. 羡慕	(动)	xiànmù	envy; admire

94

13. 惊喜	（形）	jīngxǐ	be pleasantly surprised：①我给朋友买了生日礼物，可是我没告诉他，我想给他一个～。｜②丈夫早回来了一个星期，让我感到非常～。
14. 梦	（名）	mèng	dream
15. 连忙※	（副）	liánmáng	at once; immediately
16. 不好意思※		bù hǎoyìsi	feel embarrassed：①小王一直盯着丽丽看，看得丽丽都～了。｜②～，又麻烦你。｜③我请刚认识的女孩吃饭，她～地点了点头。
17. 尽管※	（副）	jǐnguǎn	feel free to; not hesitate to：①有问题～问老师。｜②今天我们去吃自助餐（zìzhùcān, buffet），你喜欢什么～吃。
18. 鼓励	（动）	gǔlì	encourage：①对孩子，应该多～，少批评。｜②老师～我参加学校的汉语比赛。
19. 大胆	（形）	dàdǎn	bold
20. 吵	（形）	chǎo	noisy：①我的窗户外边就是一个公共汽车站，所以特别～。｜②我的邻居晚上12点还听音乐，～得我睡不好觉。
21. 疯	（形）	fēng	crazy
22. 好久	（名）	hǎojiǔ	很长时间 a long time：①～不见，最近怎么样？忙吗？｜②上课～了他还没来。｜③我在上海住过～。
23. 懂得	（动）	dǒngde	know; understand：①我的老板让我～，在公司他是我的老板，不是我的朋友。下班以后他才是我的朋友。｜②这是大家都～的道理。
24. 噪音	（名）	zàoyīn	听了让人不舒服的声音 noise

◎ 选择合适的词，填在下面句子的空格处（每个词最多用一次）：

浪漫　惊喜　漂亮　租　放　吵　美慕　根本　连忙

1. 大学毕业之后，我自己＿＿＿＿＿＿了一间房。

2. 从那以后，我很少再＿＿＿＿＿＿音乐。

3. 每天下班之后，我要做的第一件事便是打开录音机，放一段＿＿＿＿＿＿的音乐。

4. 听完之后，我＿＿＿＿＿＿不知道说什么好。

5. 有一天，＿＿＿＿＿＿女孩突然来到了我的门前，轻声问："我可以进来吗？"

课 文

一、读课文，把上面练习中的五个句子填到合适的地方：

音乐和邻居女孩

邻居是个很美丽的女孩，这使我感到很高兴。更让我高兴的是，有一天我发现女孩的名字叫爱乐，因为我自己也是个音乐迷，我想热爱音乐的人大概都是热爱生活、非常乐观的人，这个漂亮女孩肯定也是。

放音乐时我有个习惯：喜欢打开门窗，把声音放得很大。我享受着优美的音乐，感到自己真的成了一个自由人。我想，我的漂亮邻居一定常常注意我、美慕我。

我十分惊喜地回答："当然可以，我做梦都想跟你聊聊天儿，认识认识呢！快请进！"

我连忙请她坐下，给她倒茶、拿水果，希望给她留下一个好印象。

"你一定很喜欢音乐吧？"

"你怎么知道呢？"

"你叫爱乐吧？多美的名字！我猜你肯定很喜欢音乐，所以才叫爱乐。"

"哪里，我小时候很喜欢笑，所以叫爱 lè，不是爱 yuè。"女孩说着，脸红了。

"我，我想……"女孩突然不好意思地看着我。

"你想说什么就尽管说。"我鼓励她。我想她可能喜欢上①了我，可又不好意思说出来。

"那好吧，我说出来你别生气。"女孩大胆地看着我。"你天天放音乐，吵得我不能学习，不能睡觉，我觉得我自己都快疯了！我想，你放音乐能不能小声一点……"

好久，好久，我才挤出一句话："好，我一定，一定……"

就是放，声音也放得很小。因为邻居女孩使我懂得：自己认为很优美很好听的音乐，别人可能觉得是噪音。

（根据蓝春歌《音乐》改写，《青年文摘》，2000 年第 4 期）

注：①"（喜欢）上"的解释和用法见第 9 课。

二、下面是对有关课文内容的问题的回答，你觉得问题是什么？

例如：问题：<u>大学毕业以后，"我"和谁一起住？</u>

回答：他自己一个人住。

1. 问题：_____

回答：他的邻居是一个美丽的女孩。

2. 问题：_____

回答：他是一个音乐迷。

3. 问题：_____

回答：放音乐的时候，他喜欢打开门窗，把声音放得很大。

4. 问题：_____

回答：听音乐的时候，他觉得自己是一个自由的人。

5. 问题：_____

回答：因为她小时候很喜欢笑，所以叫爱乐。

6. 问题：_____

回答：他以为女孩会注意他、羡慕他，也很喜欢他。

7. 问题：_____

回答：女孩来找他是希望他放音乐的时候声音小一点。

8. 问题：_____

回答：这件事让他懂得自己认为优美好听的音乐，别人可能觉得是噪音。

三、根据你的情况或想法回答下面的问题：

1. 你觉得人的名字和性格有关系吗？

2. 你以前的爱好和现在一样吗？什么能改变一个人的爱好？

3. 你觉得 10 年以前年轻人的爱好和现在有什么不一样？

四、调查两个你认识的中国人，问问他们有什么爱好，再了解一下他
　　们周围的人都喜欢做什么。

语言点

一、连忙

　　表示迅速行动。常用于陈述句的后一部分，强调前后两个动作或事情之间的时间间隔很小。只能用于陈述句，不能用于祈使句。例如：

（1）她进来以后，我**连忙**请她坐下，给她倒茶、拿水果。
　　　　Ａ　　　　　　　　　　Ｂ

（2）听见楼下有人叫我的名字，我**连忙**打开窗户看是谁。
　　　Ａ　　　　　　　　　　　　Ｂ

（3）老板一进来，大家**连忙**站了起来。
　　　　　Ａ　　　　　Ｂ

（4）吃饭的时候，小王突然很不舒服，我们**连忙**送他去了医院。
　　　　　　　　　Ａ　　　　　　　　Ｂ

> Ａ，连忙 Ｂ

（一）用"连忙"改写下面的句子，可以根据需要增加或者减少词语：

例如：毛毛上课时睡着了，听到老师叫他的名字，马上站了起来，可不
　　　知道要回答什么问题。

　　→ 毛毛上课时睡着了，听到老师叫他的名字，连忙站了起来，可不
　　　知道要回答什么问题。

1. 听到病人叫，这位护士就跑来了。

　　→

2. 听说自己喜欢的音乐 CD 现在便宜了不少，他马上去买了一张。

　　→

3. 一收到女朋友的 E-mail，他就给她回。如果不回，女朋友肯定会生气。

　　→

4. 一巧送给我一个漂亮的小盒子。我马上打开盒子，里面是一只猴子，
　 跟我打碎的一模一样。

　　→

5. 他告诉我他的电话号码以后，我担心会忘了，就把它记在了我的电
　 话本上。

　　→

6. 公共汽车上，听到有人说"我的钱包没了"，我摸了摸我的钱包。

（钱包：wallet）

　　→

（二）用"连忙"完成下面的句子：

1. 他迟到了半个小时，所以到了以后，＿＿＿＿＿＿＿＿＿＿＿＿＿＿＿＿。

2. 听见有人敲门，＿＿＿＿＿＿＿＿＿＿＿，原来是邻居那位漂亮的女孩。

3. 下雨了，＿＿＿＿＿＿＿＿＿＿＿＿＿＿＿＿＿＿＿＿＿＿＿＿＿＿。

4. 和中国朋友一起出去吃饭，他问我吃不吃猪肚，＿＿＿＿＿＿＿＿＿＿。

5. 孩子哭了起来，＿＿＿＿＿＿＿＿＿＿＿＿＿＿＿＿＿＿＿＿＿＿＿＿。

（三）比较下面句子中的"连忙"和"急忙"的用法，请你说说哪些句子用"连忙"更好，哪些用"急忙"更好：

1. 她进来以后，我**急忙**请她坐下，给她倒茶、拿水果。

　她进来以后，我**连忙**请她坐下，给她倒茶、拿水果。

2. 出租车司机看见前面有个小孩，**急忙**停住车。

　出租车司机看见前面有个小孩，**连忙**停住车。

3. 离考试结束时间还有10分钟，我**急忙**做完了最后两道题。

　离考试结束时间还有10分钟，我**连忙**做完了最后两道题。

二、不好意思

害羞；或者因为爱面子而不肯或不便做某事。例如：

(1) 真不好意思，我来晚了。

(2) 我忘了你的名字，真不好意思。

(3) 学生：上课的时候，如果我说错了，我会觉得不好意思。

　老师：说错了不要感到不好意思。

(4) 女孩突然不好意思地看着我。

(5) 我想她可能爱上了我，可又不好意思说出来。

◎ **回答下面的问题：**

1. 最近有什么事让你感到过不好意思？

2. 不好意思的时候，你会怎么样？（脸红、出汗、声音发抖……）

三、尽管

表示不必考虑别的限制或条件，放心去做，一般用于未发生的事。后面的动词多为肯定形式。例如：

(1) 你想说什么就**尽管**说。

(2) 你想看电视就**尽管**看吧。

(3) 如果想哭，你就**尽管**哭吧。

(4) 您**尽管**放心，我们不会有问题的。

(5) 明天是周末了，要玩就**尽管**玩。

(6) 要是你喜欢我这儿的 CD，你**尽管**拿去听。

（一）用"尽管"改写下面的句子，根据需要可以增加或者减少一些词语：

1. 我们家有一个房间没人住，你就在这儿住吧，不用急着找房子。

_____

2. 我给你们照顾孩子，你们就放心地去做你们的事吧。

_____

3. 我这儿用电脑打国际电话不要钱，所以你打多长时间都没关系。

_____

4. 在我们国家如果孩子不认真学习，老师可以批评他，打他也没关系。

_____

5. 在中国买东西不要不好意思砍价，现在一些大商店也都能砍价。

_____

6. 工作以后就没有那么自由了，所以在大学毕业以前你就好好享受吧。

_____

（二）用"尽管"完成下面的句子：

1. 如果你有困难＿＿＿＿＿＿＿＿＿＿＿＿＿＿＿＿＿＿＿。

2. 网上的很多软件是免费的，＿＿＿＿＿＿＿＿＿＿＿＿＿。

（免费：不要钱）

3. 病人：大夫，出院以后有什么东西我不能吃？

　医生：没有，＿＿＿＿＿＿＿＿＿＿＿＿＿＿＿。

4. 朋友 A：这本书我什么时候还你呢？

　朋友 B：＿＿＿＿＿＿＿＿＿＿＿＿＿＿＿＿＿。

5. 学生：老师，考试还有多长时间结束？

　老师：＿＿＿＿＿＿＿＿＿＿＿＿＿＿＿＿＿。

第四单元 单元练习

一、说说下面的字有什么相同的部分，请再写出几个这样的字：

例如：相、看：都有 <u>目</u>，这样的字还有：<u>眼睛、泪、盼望、着、睁眼</u>

唱、听：都有_____，这样的字还有：_____

家、完：都有_____，这样的字还有：_____

想、怎：都有_____，这样的字还有：_____

破、碎：都有_____，这样的字还有：_____

别、到：都有_____，这样的字还有：_____

二、组词：

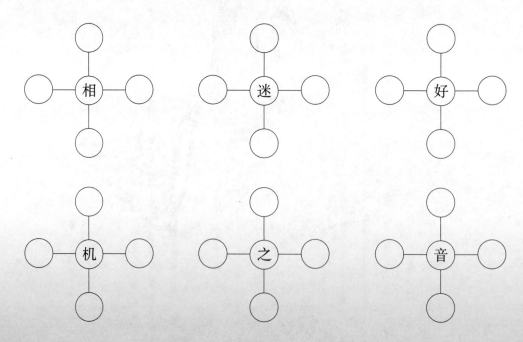

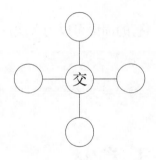 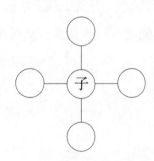

三、填写合适的量词：

1. 我的邻居是一_____漂亮的姑娘，她有一_____长长的黑发，

一_____会说话的大眼睛。

2. 这是我最喜欢的一_____唱片，我已经听了几十_____了。

3. 故宫一共有 9999.5_____房子。

4. 我每天早晨起床之后的第一_____事便是喝咖啡。

5. 这_____话语法没问题，可是中国人不这样说。

6. 那_____公司新买的 10_____电脑都坏了。

7. 很多中国人都能听懂几_____方言。

8. 吃饭的时候，小王给女朋友放了一_____浪漫的音乐。

四、填写合适的名词：

例如：听<u>音乐</u>　　漂亮的<u>姑娘</u>

1. 修_____   2. 煮_____

3. 租_____   4. 热爱_____

5. 业余_____   6. 好听的_____

7. 美丽的_____   8. 优美的_____

五、阅读短文，并完成练习：

（一）阅读下面的文章，然后选择合适的词语填空（有的词语可以用多次）：

> 激动 伤心 吃惊 紧张 快乐 轻松 冷静 兴奋 不好意思
> 相当 根本 难道 连忙 尽管 之前 / 之后 / 之间 感兴趣 不一会儿

差 chà：不好

野 yě：wild
狼 láng：wolf
开红灯：to fail in an exam
兔 tù：hare
班长：class monitor
榜样 bǎngyàng：model

（写）检查 jiǎnchá：self-criticism

做了一天差生

野狼是我的同桌，我们俩一点共同点都没有。他是全班最差的学生。上课迟到，作业不做，考试开红灯。可是他一点也不为自己担心，每天都过得＿＿＿＿＿＿＿、＿＿＿＿＿＿＿。我，雪兔，是全班最好的学生，被老师称为"好班长"，同学称为"学习的好榜样"，父母的好孩子。可是我觉得很累，＿＿＿＿＿＿＿不快乐。

有一天，我和野狼比赛，如果我输了，我就得做一天像野狼一样的坏学生；如果他输了，他就得做一天好学生。结果是我输了。"唉，怎么办！明天还有英语考试呢，我也要开个红灯吗？"野狼＿＿＿＿＿＿＿说："要，当然要。你还得迟到，让你这个好学生也受一受老师的批评。"

第二天早晨，第一节课开始＿＿＿＿＿＿＿，我才到教室。正在上课的老师和所有的同学（除了野狼）都＿＿＿＿＿＿＿地看着我，希望我解释迟到的原因。可我什么都没说，低着头，脸发烧。天哪，我这个每天早上第一个到教室的班长今天迟到了半个小时。老师走过来问我："怎么了？你是不是不舒服？如果不舒服得厉害，你＿＿＿＿＿＿＿回家休息。"这让我大吃一惊。天哪！平时野狼只迟到5分钟，老师就让他在门外站一节课，还要写检查，可对我……我轻轻地说："我起床起晚了，没有不舒服。""哦，一定是晚上复习得太晚了，以后早点睡。"这又让我吃了一惊，老师怎么会这么想？我＿＿＿＿＿地看了一下野狼，野狼生气地看着我。

数学课上，我和野狼都没有做作业，老师批评了野狼一顿，还让他重做十遍，可对我没做作业却一点都没提，＿＿＿＿＿＿老师忘了？

＿＿＿＿＿下课了，野狼不满地让我去找老师，让老师别忘了还有我也没做作业。不知道老师会怎么批评我，我心里特别＿＿＿＿＿。没想到我一进办公室，老师就对我说："我知道你没做作业，其实我＿＿＿＿＿就不想让你做这些简单的作业。很快就要数学竞赛了，你还是多做一些难题，好好准备竞赛吧。"我什么也说不出。刚要离开，数学老师又对我说："以后作业来不及做，就不用做了。"天哪，＿＿＿＿＿好学生和坏学生就这么不一样吗？我和野狼都没做作业，但老师对我们的态度完全不同，我是应该高兴还是应该难过？

我做差生却＿＿＿＿＿没有受到老师的批评，老师还为我的各种错误找原因。真不知道野狼会有多么＿＿＿＿＿。他可能会想，即使他做了好学生，老师对他也不会和对我一样吧。而我，虽然有老师的关心和照顾，应该什么都不用担心，什么都不用怕。但我怕——怕失去自我，失去朋友们，更怕野狼生气的眼睛。

竞赛 jìngsài：contest

难过：伤心 sad

原因：reason

（根据徐孜《做了一天差生》改写，《青年文摘》2001年第1期）

（二）根据上文，回答下面的问题：

1. "我"的学习怎么样？野狼呢？

2. "我"和野狼比赛输了以后，"我"应该做什么事情？

3. 第二天"我"上课为什么会迟到？老师觉得"我"为什么迟到？

4. "我"没有做数学作业，老师的态度怎么样？

5. "我"自己对现在的情况感到高兴吗？为什么？

（三）根据上文，"我"和野狼有了错误以后经历（experience）有什么不同？请填写下面的表格：

	"我"	野狼
上课迟到		
不做作业		

六、写作：如果你是上文中的"野狼"，请你写一篇小短文《野狼和雪兔》，介绍一下你和雪兔不同的方面，并谈谈你对自己的看法。

第五单元　单元热身活动

◎ 猜一猜他是谁：

　　他是中国唐朝（The Tang Dynasty）的大诗人，从小喜欢读书、作诗。25岁时，他离开自己的家乡，到各地旅行、学习。他游览（go sightseeing）了大半个中国，留到现在的诗有近一千首，其中许多出现在后来中国学生的课本里。有的诗中国两三岁的孩子都知道，例如《静夜思》：

床前明月光，

疑是地上霜。

举头望明月，

低头思故乡。

◎ 请你自己介绍一个在全世界都很有名的人，但不要说出他（她）的名字。介绍完以后，请你的搭档猜一猜他（她）是谁。

第九课　孙中山

词语

1. 神	(名)	shén	god
2. 平时	(名)	píngshí	一般的时候 ordinarily; in normal times: ① ～努力学习，考试的时候才能有好成绩。| ②他们～的关系挺好的,昨天不知道为什么吵架了。|③我 ～不让孩子看电视,周末才让他们看一会儿。
3. 聪明	(形)	cōngming	clever; bright
4. 哲学	(名)	zhéxué	philosophy
5. 地图	(名)	dìtú	map：一张～ | 世界～ | 中国～
6. 小说	(名)	xiǎoshuō	story; novel
7. 蔬菜	(名)	shūcài	vegetable
8. 辣	(形)	là	spicy; hot
9. 菠萝	(名)	bōluó	pineapple
10. 医学	(名)	yīxué	medical science
11. 治	(动)	zhì	to cure：①王大夫～好了丽丽的病。 | ②这家医院在～眼病方面非常有名。
12. 改革	(动)	gǎigé	to reform：进行～ | 中国的银行正在进行～。
13. 愿望	(名)	yuànwàng	wish; desire：小王自己当老板的～还没有实现。

14. 成立	(动)	chénglì	to found; to establish：① 中华人民共和国1949 年~。｜② 我们的足球队已经~五年了。
15. 革命	(名)	gémìng	revolution
16. 从此	(连)	cóngcǐ	from now on; since then：① 我们十年前见过一面，~再没联系过。｜② 他和父亲吵了一架，~离开了家。｜③ 上个月我换了一个工作，~忙起来了。｜④ 两年前我认识了一个中国朋友，~我开始学习汉语。
17. 成为	(动)	chéngwéi	to become：① 1912 年，孙中山~中国第一个总统。｜② 经过这件事以后，我们俩~了好朋友。
18. 平等	(形)	píngděng	equal; being treated equally：男女~｜人人~
19. 富强	(形)	fùqiáng	rich and strong：~的国家
20. 统治	(动)	tǒngzhì	to rule; to govern：~国家｜~者
21. 临时	(形)	línshí	temporary：~政府｜~安排｜~计划｜① 今天帮朋友照顾孩子，当了一天~妈妈，真累。｜② 我打算出国留学，所以现在的工作是~的。
22. 总统	(名)	zǒngtǒng	president：临时~｜某国~
23. 制定	(动)	zhìdìng	to make (law, plan)：to institute (rules)：~法律｜~计划｜~政策（policy）
24. 法律	(名)	fǎlǜ	law
25. 规定	(名)	guīdìng	rule; regulation：一条~｜学校的~｜国家的~
26. 禁止	(动)	jìnzhǐ	to prohibit；to ban：~停车｜~吸烟（no smoking）｜① 这次考试~学生用词典。｜② 中国的很多城市规定：骑自行车~带人。

27. 人口	(名)	rénkǒu	population：中国～｜世界～｜城市～
28. 剪	(动)	jiǎn	to cut（with scissors）：～头发｜～报纸
29. 辫子	(名)	biànzi	plait; braid
30. 皇帝	(名)	huángdì	emperor
31. 纪念	(动)	jìniàn	to commemorate：～某人｜～某事｜这个周末为了～父母结婚50年，我们家准备开一个晚会。
32. 当年※	(名)	dāngnián	in those years；at that time
33. 县	(名)	xiàn	county

专 名

1. 孙中山 （孙文、 孙逸仙）	Sūn Zhōngshān (Sūn Wén, Sūn Yìxiān)	Sun yat-sen
2. 广东	Guǎngdōng	*a southern province of China*
3. 香山	Xiāngshān	*name of a place in Guangdong*
4. 澳门	Àomén	Macao
5. 广州	Guǎngzhōu	Guangzhou；Canton
6. 清朝	Qīngcháo	The Qing Dynasty （1616–1911）
7. 中华民国	Zhōnghuá Mínguó	The Republic of China （1911–1949）

◎ 下面是有关孙中山先生的情况，请你猜猜哪些是真的，哪些不是：

1. 孙中山性格外向，平时喜欢和人聊天。

2. 孙中山喜欢看书、听音乐。

3. 孙中山学习的专业不是政治，不是法律，而是医学。

4. 孙中山不喜欢清朝政府。

5. 中山公园、中山大学都和孙中山有关系。

课 文

一、读课文，看看上面的练习中，哪些你猜对了，哪些猜错了。

孙 中 山

孙中山（1866—1925）是广东香山人，他原来的名字叫孙文，又叫孙逸仙，"逸仙"翻译成英语有"自由神"的意思。33岁的时候他开始用"孙中山"这个名字。

孙中山长得很像他的母亲，性格比较安静，平时不太爱说话。他从小就很聪明，非常喜欢买书、读书。历史、政治、经济、哲学方面的书他都喜欢看，还爱看地图；不过他对小说不感兴趣，也不爱听音乐。在吃的方面，他喜欢蔬菜和鱼，不喜欢酸的、辣的东西；他非常喜欢水果，特别是香蕉和菠萝。

年轻的时候，孙中山先是学习医学，然后在澳门、广州当医生，可是他的理想不只是当一名医生给人们治病——他不仅要治人们的身体，而且还要治人们的思想和精神。当时的中国就像一个病人，所以他要努力治一治自己的国家。28岁的时候，他给当时的清朝政府写信，要求他们进行改革，但是清朝政府根本不关心人们的意见和愿望，所以他的信当然没有影响。同一年他和一些朋友成立了一个革命组织。从此孙中山先生开始了他的革命活动，和清朝政府进行斗争，希望中国能成为一个独立、平等、富强的新中国。

1911年，孙中山先生的努力和人民的斗争取得了很大的成功，清朝政府的统治终于结束了。1912年中华民国成立，孙中山先生当上了临时大总统。他当大总统的时候制定了三十多种法律、规定，比如禁止买卖人口，要求全国人民都剪辫子等等。

孙中山先生是中国历史上一位伟大的政治家，他领导的革命结束了旧中国几千年皇帝统治的历史。孙中山先生对中国社会的政治、经济、文化教育和人民生活的发展变化都有很多积极影响。人们为了纪念他，把他的老家香山县改名叫中山市。孙中山先生当年办的大学现在叫中山大学。中国不少城市都有中山公园。

（参考资料：孙穗芳《我的祖父孙中山》，人民出版社）

二、根据课文内容回答下面的问题：

1. 孙中山先生性格怎么样？

2. 他喜欢看什么书？不喜欢看什么书？

3. 他在吃的方面有什么习惯？

4. 开始革命活动以前孙中山先生做什么？

5. 孙中山先生的理想是什么？

6. 为什么说孙中山先生是中国历史上一个伟大的政治家？

三、请根据课文填写孙中山先生在不同时期的情况或做的事情：

1866 年	_____
1876 年	开始上学
1878—1883 年	去外国学习
1884 年	第一次结婚
年轻的时候	_____
1894 年	_____
1895—1911 年	组织多次革命
1912 年	_____
1915 年	和宋庆龄结婚
1925 年	_____

语言点

一、……方面

相对或并列的几个事物之一。例如：

(1) 历史、政治、经济、哲学**方面**的书他都喜欢看。

(2) 在吃的**方面**，他喜欢蔬菜和鱼，不喜欢酸的、辣的东西。

(3) 很多有名的文学家在生活**方面**不太认真。

(4) A：爸爸，如果我考北京、上海的大学，会不会很贵啊？

  B：钱的**方面**你不要担心，你好好学习就行了。

◎ **填空：**

1. 我刚来中国的时候有很多不习惯的地方，特别是＿＿＿＿＿＿＿＿＿＿

 方面的问题很多。

2. 我对中国＿＿＿＿＿＿＿方面的情况了解得比较多；＿＿＿＿＿＿＿

 方面的情况了解得比较少。

3. 学校应该管学生＿＿＿＿＿＿＿方面的问题，不应该管＿＿＿＿＿＿＿

 方面的问题。

4. 爱因斯坦因为在＿＿＿＿＿＿＿方面的研究得到了 1921 年的诺贝尔

 奖。   （爱因斯坦：Einstein 诺贝尔奖：Nobel Prize）

5. 最近几年，中国在＿＿＿＿＿＿＿＿＿＿＿＿方面发展得比较快，

 但是在＿＿＿＿＿＿＿＿＿方面发展还比较慢。

二、动词＋上

表示动作或事情开始并继续下去，强调的是开始，动词和"上"中间不能加"得、不"，如例句（1）（2）（3），或表示达到了不易达到的目的，如例句（4）（5）。

(1) 难道他喜欢上音乐了？

(2) 她可能爱上了我，可又不好意思说。

(3) 老同学一见面又开始聊上以前的事了。

(4) 1912 年中华民国成立，孙中山先生当上了临时大总统。

(5) 为了考上最好的大学，小王从来不玩。

◎ **用"动词 ＋ 上"改写句子，根据需要可以增加或者减少一些词语：**

1. 医生不让爸爸抽烟、喝酒，也不让他吃甜的东西。可他刚从医院出来就又开始抽烟、喝酒，还吃了巧克力。

   （抽烟：to smoke　巧克力：chocolate）

   _____

2. 我第一次来到这个城市就非常喜欢，以后就一直住在这儿。

   _____

3. 你不是刚吃过晚饭吗？怎么又吃面包？

   _____

4. 在这样的电影里，常常是两人一认识，男的就喜欢女的，可是女的不喜欢男的。当然最后他们肯定会在一起。

   _____

5. 科学家们以前只是克隆牛啊、羊啊，现在又开始要克隆人了。

   _____

6. 张明的爱好就是学外语，他学习过法语、德语。现在又开始学日语
了。

_____

7. 现在的年轻人常常换工作，像换衣服一样。我儿子大学毕业以后，在
一个学校当老师，可是他说钱少，就去了一家外国公司，他又说不自
由，最近又当了导游。　　　　　　　　　　　　　　　（导游：tour guide）

_____

8. 比尔·盖茨 20 岁有了自己的公司，成为微软的老板。

（比尔·盖茨：Bill Gates；　微软：Microsoft）

_____

9. 过去中国的农村电话很少，现在很多农民家里都装电话了。

_____

三、当时、当年

过去发生某件事的时候。例如：

(1) 年轻的时候，孙中山先是学习医学，……**当时**的中国就像一个病人。

(2) 28 岁的时候，他给**当时**的清朝政府写信。

(3) 西美和丈夫又去找那家医院的护士了解情况……**当时**有另一个孩子
也和父母长得很不一样。

(4) 孙中山先生**当年**办的大学现在叫中山大学。

◎ **下面句子中的"当时""当年"指的是什么时候？**

1. 中国刚开始改革的时候，机会很多。不过，当时只有很少的人利用了这些机会。

   当时 = _____

2. 我 1984 年第一次来中国。和当时的很多外国人一样，买东西常常去友谊商店。

   当时 = _____

3. 我是两年前来中国的，当时我连"你好！"都不会说。

   当时 = _____

4. 我小的时候身体不太好，常常生病。当时我去得最多的地方就是医院。

   当时 = _____

5. 春秋战国以前中国人可能有好几个名字，不过当时只有有钱的人才有姓，没有钱的人只有名，没有姓。到了汉代，人人都有了姓。

   （春秋：the Spring and Autumn Period　战国：the Warring States Period
   汉代：the Han Dynasty）

   当时 = _____

6. 我和小王是中学同学，当年他是我们班最瘦的学生，可现在他有 80 公斤了。

   当年 = _____

第 109 页"猜一猜他是谁"答案：李白

第十课　武则天

词语

1. 公元	(名)	gōngyuán	A.D. (Anno Domini)
2. 仅	(副)	jǐn	只 only
3. 妻子	(名)	qīzi	wife
4. 情人	(名)	qíngrén	妻子以外的女朋友或者丈夫以外的男朋友 lover
5. 去世	(动)	qùshì	死 pass away; to die
6. 庙	(名)	miào	temple
7. 根据※	(动)	gēnjù	according to
8. 皇后	(名)	huánghòu	皇帝的妻子 empress
9. 软弱	(形)	ruǎnruò	weak；meek：性格很～
10. 控制	(动)	kòngzhì	to control：～人口｜～国家｜～自己
11. 实际	(名)	shíjì	fact：～情况｜～问题
12. 实际上	(副)	shíjìshang	in fact：① 我们老板特别怕妻子，所以～他的妻子才是我们真正的老板。｜② 我们的电脑 8000 块，但是还送你很多东西，～只有 7000 块左右。
13. 整个	(形)	zhěnggè	所有的　whole; entire：～世界｜～国家｜～学校｜～寒假｜～上午

14. 作为※	(介)	zuòwéi	as：① ～老板，我应该批评你；～朋友，我也应该指出你的错误。｜② 我们～父母，当然最关心孩子的健康。
15. 权力	(名)	quánlì	power; authority
16. 重新	(副)	chóngxīn	again：① 衣服没洗干净，我又～洗了一遍。｜② 这个地址不对，你再～查一下。
17. 传统	(名)	chuántǒng	tradition：① 春节吃饺子是一种～习惯。｜② 你们国家过新年有什么～？｜③ 在你们国家人们什么时候穿～的服装？
18. 妇女	(名)	fùnǚ	woman
19. 残酷	(形)	cánkù	cruel：～的战争(war)｜他这样做太～了。
20. 无情	(形)	wúqíng	heartless; ruthless：① 他可真～，连自己的孩子都不要了。｜② 老板～地批评了我们每一个人。
21. 除	(动)	chú	to get rid of
22. 故意※	(形)	gùyì	on purpose; intentionally：邻居知道我在睡觉，～把电视声音开得很大。
23. 弄※	(动)	nòng	do; manage (usually with hands)
24. 砍	(动)	kǎn	to chop：～树｜～伤一个人
25. 坛子	(名)	tánzi	jar
26. 能力	(名)	nénglì	ability; capability：工作～｜生活～｜实际～｜阅读～｜(没)有～｜～差｜～大｜～小

专 名

1. 唐朝	Tángcháo	The Tang Dynasty （618—907）
2. 武则天	Wǔ Zétiān	*name of an empress of the Tang Dynasty*
3. 唐太宗	Táng Tàizōng	*the second emperor of the Tang Dynasty*
4. 唐高宗	Táng Gāozōng	*the third emperor of the Tang Dynasty*
5. 王皇后	Wáng Huánghòu	*an empress in the Tang Dynasty whose maiden name is Wang.*

◎ 请把下面的词分成不一样的组（最少分两组），并说说为什么这
样分：

愿望	总统	皇帝	妻子	情人	皇后
实际	权力	传统	妇女	能力	

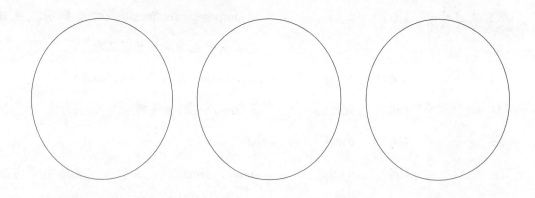

课文

武则天

1　　在旧中国几千年的历史中，皇帝都是男的，只有唐朝的时候出现过一位女皇帝，她就是武则天（公元624—705）。

2　　公元637年，因为年轻漂亮，年仅十四岁的武则天成了唐太宗的妻子。唐太宗老了以后，武则天和他的儿子（后来的唐高宗）成了情人。唐太宗去世后，武则天被送到一座庙里，根据规定，她应该在那儿一直呆到死。不过，唐高宗当上皇帝以后，她又被从那座庙里接了回去。655年，武则天成了皇后。由于唐高宗是一个性格很软弱的人，而且身体不太好，性格坚强的武则天很容易控制他，所以当时实际上是武则天统治着整个国家。683年唐高宗去世后，他们的儿子当上了皇帝，作为皇帝的母亲，武

一、读课文第1、2段，回答下面的问题：

1. 武则天是谁？
2. 关于武则天你还知道什么？（最少说一个方面）

二、再读课文，说说下面关于武则天的句子是对还是错：

1. 她很漂亮。
2. 她最早是唐太宗的皇后，后来成了唐高宗的皇后。
3. 唐高宗去世以前，统治国家的实际上就是武则天。
4. 唐高宗一去世，她就当上了皇帝。
5. 中国历史上只有她一位女皇帝。

三、下面这些年代发生了什么事情？

年代	发生的事情
624 年	武则天出生
637 年	_____
655 年	_____
683 年	_____

690 年 _____

705 年 _____

四、读课文第 3、4 段，回答下面的问题：

1. 中国过去的历史书为什么常常批评武则天？

2. 武则天受到批评最多的是哪个方面？

3. 武则天为什么要弄死自己的孩子？

4. 你相信武则天弄死自己女儿的故事吗？

5. 武则天怎样杀死了王皇后？

则天权力更大了。690 年，武则天自己当上了皇帝，成为中国历史上仅有的女皇。705 年春天，武则天生病，她的儿子重新当上了皇帝。同一年，武则天去世。

3　　根据中国的传统，妇女不能参加政治活动，所以中国过去的历史书常常批评武则天。对她批评最多的是她的残酷无情。武则天不喜欢唐高宗的其他妻子，所以想除掉她们。当时唐高宗的第一个妻子王皇后没有孩子，她常常去看武则天刚生的女儿。有一次，武则天故意让王皇后一个人和孩子在一起。王皇后离开后，她就弄死了自己仅几个月的孩子。唐高宗来了以后发现女儿死了，旁边的人告诉他王皇后曾经来过。在这种情况下，唐高宗当然就认为是王皇后杀死了他和武则天的女儿。后来武则天自己成了皇后，她用残酷的方法杀死了王皇后：把她的手和脚砍去，然后把她装在一个酒坛子里。

4　　虽然历史上批评武则天的人很多，但她确实是个很有能力的人。在复杂、危险的政治环境中，她成功地统治了中国50多年，而且进行了不少改革。这些可能都离不开她的聪明、残酷无情和坚强的性格。

（参考资料：黄仁宇《赫逊河畔谈中国历史》）

6. 你认为武则天为什么能当上皇帝并统治中国那么多年？

7. 有人认为统治一个国家，男的比女的强。你同意吗？请说说为什么。

五、下面句子中画线的部分是错误的，请根据课文内容改正错误的地方，在两分钟内完成：

1. 在中国历史上，清朝的时候出现了一位女皇帝。

2. 武则天十八岁的时候成了唐太宗的妻子。

3. 根据规定，唐太宗去世后，武则天应该在庙里呆到六十岁。

4. 武则天性格很软弱。

5. 中国的历史书常常表扬武则天。

6. 唐高宗的第一个妻子是武则天。

7. 王皇后杀死了武则天的女儿。

8. 武则天成功地统治了中国30多年。

六、你是一名记者，现在要采访武则天。请你最少准备5个问题让武则天回答：

问题1：＿＿＿＿＿＿＿＿＿＿＿＿＿＿＿＿＿＿

问题2：＿＿＿＿＿＿＿＿＿＿＿＿＿＿＿＿＿＿

问题3：＿＿＿＿＿＿＿＿＿＿＿＿＿＿＿＿＿＿

问题4：＿＿＿＿＿＿＿＿＿＿＿＿＿＿＿＿＿＿

问题5：＿＿＿＿＿＿＿＿＿＿＿＿＿＿＿＿＿＿

语言点

一、根据

表示以某种事物或情况为前提或基础。例如：

(1) 唐太宗去世后，武则天被送到一座庙里，**根据**规定，她应该在那儿一直呆到死。

(2) **根据**中国的传统，妇女不能参加政治活动。

(3) **根据**广告上的地址，我找到了那家公司。

(4) **根据**科学家的研究，儿童一般一岁左右开始说话。

(5) 父母应该**根据**孩子的兴趣决定是不是让孩子学习音乐、画画等等。

（一）用"根据"改写下面的句子，根据需要可以增加或者减少一些词语：

例如：专家们认为经济发展也不能太快。

　　　→根据专家们的意见，经济发展也不能太快。

1. 天气预报说今天下午有雨。　（天气预报 tiānqì yùbào：weather forecast）

　　→

2. 很多人不知道东西南北的时候就看太阳的位置。

　　→

3. 在我的印象中，她已经换了五次工作了。

　　→

4. 知道一个人喜欢的颜色就可以知道他的性格。

　　→

5. 我们了解的情况是女的想离婚，不是男的想离婚。

　　→

6. 成绩好的学生可以去外国留学一年。

　　→

7. 学校的计划是第一年在国内学，第二年去国外学，第三年回来写论
　　文。　　　　　　　　　　　　　　　(论文 lùnwén：dissertation)

　　→

8. 今年国家的经济情况还可以，所以我想失业的人比去年会少一点。

　　　　　　　　　　　　　　　　　　（失业 shīyè：be unemployed）

　　→

（二）先完成句子，然后再用"根据"改写句子：

例如：我们学校的传统是刚进学校的新学生要听老学生的话。
　　　→根据我们学校的传统，刚进学校的新学生要听老学生的话。

1. 我学习汉语的经验是＿＿＿＿＿＿＿＿＿＿＿＿＿＿＿＿＿＿＿＿。

　　→

2. 昨天晚上的电视新闻说＿＿＿＿＿＿＿＿＿＿＿＿＿＿＿＿＿＿＿。

　　→

3. 我们国家的法律规定＿＿＿＿＿＿＿＿＿＿＿＿＿＿＿＿＿＿＿＿。

　　→

4. 科学家们的研究发现＿＿＿＿＿＿＿＿＿＿＿＿＿＿＿＿＿＿＿＿。

　　→

5. 我们家的习惯是＿＿＿＿＿＿＿＿＿＿＿＿＿＿＿＿＿＿＿＿＿＿。

　　→

二、作为

指明人的某种身份或者事物的某种性质，必须带名词宾语，不能带
"了""着""过"，不能重叠，不能带补语，没有否定式。例如：

（1）**作为**皇帝的母亲，武则天权力更大了。

（2）**作为**首都，北京的发展和变化受到全国的注意。

(3) **作为**一名老师，你既应该了解要教的东西，也应该了解自己的学生。

(4) 我们**作为**父母，应该注意让孩子受到好的教育。

(5) 中国**作为**世界上人口最多的国家，控制人口是很必要的。

（一）用"作为"改写下面的句子：

例如：我是音乐迷，花钱买 CD 是件高兴的事，当然，不花钱有 CD 我更高兴。

　　　　→作为音乐迷，花钱买 CD 是件高兴的事，当然，不花钱有 CD 我更高兴。

1. 我是你的朋友，我怎么会骗你的钱呢？　　　　　　　　　（骗 piàn：cheat）

　　　→

2. 你是心理医生，你怎么能把病人的秘密告诉别人呢？

　　　　　　　　　　　　　　　　　　　　　　　　　（秘密 mìmì：secret）

　　　→

3. 电影是一种艺术，要告诉你的不一定是真的历史。

　　　→

4. 写小说是你的爱好，没有人说不好，但是你上课的时候写是不合适的。

　　　→

5. 你是孩子的母亲，我的妻子，当然应该为我们做饭、洗衣服。

　　　→

6. 你来我这儿，我是主人，你是客人，当然应该我请你。

　　　→

（二）用"作为"谈谈你对教育的看法：

1. 作为政府，应该＿＿＿＿＿＿＿＿＿＿＿＿＿＿＿＿＿＿＿＿＿＿＿＿。

2. 作为学校，应该＿＿＿＿＿＿＿＿＿＿＿＿＿＿＿＿＿＿＿＿＿＿＿＿。

3. 作为老师，应该＿＿＿＿＿＿＿＿＿＿＿＿＿＿＿＿＿＿＿＿＿＿＿＿。

4. 作为学生，应该_____。

5. 作为父母，应该_____。

三、故意

主观上想那么做。常见格式有"故意+动词""……（不）是故意的"等。例如：

（1）有一次，武则天**故意**让王皇后一个人和孩子在一起。

（2）为了让大家注意她的新衣服，进办公室的时候她**故意**咳了一声。

（咳 ké: cough）

（3）小王上课的时候要睡觉，老师**故意**叫他回答问题。

（4）A：你怎么把我的电脑弄坏了？

　　　B：对不起，我不是**故意**的。

◎　**根据对话用"为了"和"故意"说明情况：**

　　例如：

校长给你发奖品(prize)时叫你的名字，你怎么没听见？

我听见了，不过我怕大家听不见，所以没站起来。

为了让大家都知道她得了奖，校长叫她时，她故意没站起来。

1. A：你为什么每天都唱这首歌？

　　B：因为我知道邻居的女孩最喜欢这首歌。

　　→_____

2. 中国朋友：刚才我们买东西的时候，你怎么只是做动作，不说话啊？

外国学生：我一说话，那些人就知道我是外国人。

→ _____

3. A：你的工作不是已经干完了吗？怎么老板问你的时候，你说没干完？

B：如果我说我干完了，老板肯定又会给我新的工作。

→ _____

4. A：你最近不是没有工作吗？怎么还每天早上出去，晚上才回来？

B：我不想让我父母担心，所以没有告诉他们我失业了。

→ _____

四、弄

相当于"做、干、搞、办"等，用于说明一些不必说明或说不清楚的动作。常用于口语。例如：

(1) 王皇后离开后，她就**弄**死了自己仅几个月的孩子。

(2) 上课的时候，他常常一边看书，一边**弄**自己的头发。

(3) 前两天我的电脑被弟弟**弄**坏了。

(4) 妈妈：你怎么把弟弟**弄**哭了？

孩子：他要我给他把地上的洞**弄**回家。 (洞 dòng：hole)

(一) 用"弄"完成下面的句子或对话：

1. _____? 我去洗一下吧。

2. 这个问题很重要，_____。

3. 喝茶的时候我不小心_____。

4. 你的录音机声音太大，_____。

5. A：我的自行车锁打不开了，_____?

B：没问题。

6. A：能用一下你的电脑吗?

B：你自己的呢?

A：_____，不能用了。

（二）根据所给语境用"弄"造句：

1. 今天晚上有朋友来吃饭，我要准备几个好菜。

_____

2. 去旅行的时候，我的相机丢了。

_____

3. 我不明白这些名字的意思。

_____

4. 他常常使简单的事情变复杂了。

_____

5. 大孩子和小孩子一起玩，一会儿小孩子就哭了。

_____

一、说说下面的字有什么相同的部分，请再写出几个这样的字：

例如：仅、作、传：都有　亻　，这样的字还有：什么、代替、他们、住

图、国、园：都有_____，这样的字还有：_____

政、改、教：都有_____，这样的字还有：_____

神、宗、礼：都有_____，这样的字还有：_____

弄、玩、理：都有_____，这样的字还有：_____

二、组词：

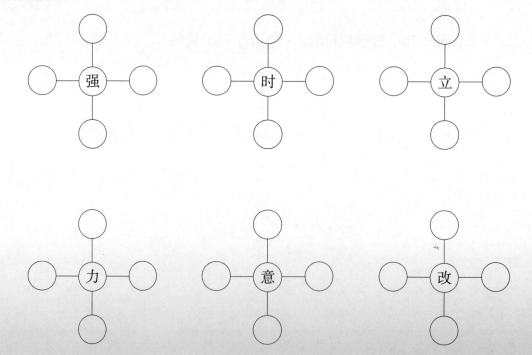

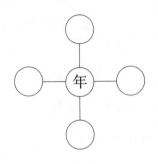
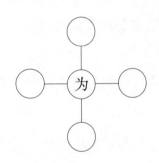

三、 填写合适的名词：

例如： 控制人口／国家　　实际 情况／问题／能力

1. 剪＿＿＿＿＿＿＿＿＿　　2. 制定＿＿＿＿＿＿＿＿＿

3. 成立＿＿＿＿＿＿＿＿＿　　4. 成为＿＿＿＿＿＿＿＿＿

5. 整个＿＿＿＿＿＿＿＿＿　　6. 临时＿＿＿＿＿＿＿＿＿

四、 根据本单元的课文内容选择合适的时间表达填空（有的可以用多次）：

> 从此　　当时　　后来　　之后　　同一年
> 705 年春天　　　1911年　　然后　……的时候

1. 年轻的时候，孙中山先是学习医学，＿＿＿＿＿＿在澳门、广州当医生。

2. 28 岁＿＿＿＿＿＿，孙中山给当时的清朝政府写信，要求他们进行改革。＿＿＿＿＿＿他和一些朋友成立了一个革命组织。＿＿＿＿＿＿孙中山先生开始了他的革命活动。

3. ＿＿＿＿＿＿，孙中山先生的努力和人民的斗争取得了胜利，清朝政府的统治结束了。1912 年中华民国成立。

4. 孙中山先生当大总统＿＿＿＿＿＿制定了三十多种法律、规定。

5. 中国历史上，只有唐朝＿＿＿＿＿＿出现了一位女皇帝，她就是武则天。

6. 武则天原来是唐太宗的妻子，唐太宗去世＿＿＿＿＿＿＿，武则天被送到一座庙里。

7. 为了得到皇后的位置，武则天想办法除掉了＿＿＿＿＿＿唐高宗的第一个妻子王皇后，＿＿＿＿＿＿她又除掉了唐高宗喜欢的其他女人。

8. ＿＿＿＿＿＿，武则天生病，她的儿子重新当上了皇帝。＿＿＿＿＿＿，武则天去世。

五、 把下面的文章按照正确的顺序排列，并选择合适的时间词填在横线上（有的可以用多次）：

> 从此　当时　后来　同一年　夏天　有一天　之后
> ……的时候　1901 年 12 月 5 日　1966 年 12 月 15 日

迪斯尼：Disney
私生子：父母不是夫妻
　　　　关系的孩子
身　世：一个人的历史

卡　通：cartoon
米老鼠：Mickey Mouse
唐老鸭：Donald Duck
奥斯卡：Oscar
白雪公主：Snow White

灰姑娘：Cinderella
小鹿班比：Bambi
迪斯尼乐园：Disney-Land

一切都从一只老鼠开始

A ＿＿＿＿＿＿＿，迪斯尼在美国的芝加哥出生。不过有人说他是西班牙人，是一个私生子。＿＿＿＿＿＿他曾经调查过自己的身世，但没有结果。

B 1925 年的＿＿＿＿＿＿，他和他哥哥一起成立了拍卡通片的迪斯尼公司。1928 年他们开始拍有声音的卡通短片。他的"米老鼠"和"唐老鸭"等卡通人物受到了全世界人们的喜爱，他也因此获得 1932 年的奥斯卡特别奖。1938 年他拍了第一部大型卡通片《白雪公主和七个小矮人》，获得了 8 项奥斯卡奖。＿＿＿＿＿＿，他拍了许多非常有名的卡通片，比如《三只小猪》《灰姑娘》《小鹿班比》等。1955 年，他又在洛杉矶建立了迪斯尼乐园。

C　　迪斯尼小_____生活在农村，他对农村的各种小动物非常感兴趣，常常和它们在一起玩，画小动物的画，想象一些和动物有关系的故事，这些都对他_____拍卡通片非常有帮助。

D　　_____，"米老鼠之父"迪斯尼去世_____，许多人都不相信他真的已经离开了大家，还觉得迪斯尼_____会突然出现在大家面前。

E　　迪斯尼年轻_____曾经在电影学院学习过，_____在一家电影广告公司找到了工作。1923 年迪斯尼离开了广告公司，用 1500 美元成立了自己的公司，开始拍卡通短片，不过_____的电影都是没有声音的。_____，他公司里的两个人拿了公司的钱逃跑了，他的公司破产了。

破产：公司没有钱了

　　正确的顺序：_____、_____、_____、_____、_____

六、写作：介绍你们国家一个有名的人。请注意使用课文中出现的时间表达法。

（例如：从此、当时、后来、之后、同一年、然后、……的时候等）

第六单元　单元热身活动

◎ **回答下面的问题：**

1. 你喜欢什么味道的菜？不喜欢什么味道的菜？

2. 你的一个朋友要从你们国家来看你，你想请他（她）吃中国菜，请你给他（她）介绍至少三个中国菜。

3. 在中国生活，你觉得什么方面花钱最多？在你们国家呢？

第十一课　吃在中国

词语

1. 醋	（名）	cù	vinegar
2. 官	（名）	guān	government official：大～｜高～｜当～
3. 普通	（形）	pǔtōng	不是特别的 common：～人｜～工作｜～的房间
4. 老百姓	（名）	lǎobǎixìng	common people
5. 烤	（动）	kǎo	roast; bake：～鸭｜～肉｜～面包
6. 鸭（子）	（名）	yā (zi)	duck：一只～子
7. 外地	（名）	wàidì	你住的城市（或农村）以外的地方 parts of the country other than where one is：① 高中毕业以后，我就去了～上大学。｜② 他儿子在～工作。｜③ 我们公司有很多～人。
8. 尝	（动）	cháng	to taste：① 你～一～我做的饺子。｜② 这种酒的味道怎么样？我来～～。
9. 涮	（动）	shuàn	to instant-boil：～羊肉｜～蔬菜
10. 新鲜	（形）	xīnxiān	fresh：～的蔬菜｜～的水果｜～的空气｜① 这些花真～。｜② 这些鸡蛋的时间太长了，不～了。
11. 开水	（名）	kāishuǐ	boiled water
12. 味道	（名）	wèidào	taste; flavour：菜的～｜奇怪的～｜① ～是甜的（/酸的/苦的/辣的）。｜② ～怎么样？——～不错。

13. 臭	(形)	chòu	foul；stinking：①那儿的厕所特别～。｜②什么东西那么～？你怎么把～袜子都放在床下面？｜③你们国家有什么吃的东西味道很～吗？
14. 豆腐	(名)	dòufu	bean curd
15. 据说		jù shuō	it is said that：①～学校下个月要开运动会。｜②～中国唐朝的时候人们觉得胖人很好看。｜③据大夫说，他的病很快就会好。
16. 闻	(动)	wén	to smell：①"什么东西那么臭？"他一边用鼻子～，一边问。｜②你～～这香水，真好～。
17. 肯※	(助)	kěn	be willing to
18. 酒家	(名)	jiǔjiā	restaurant
19. 大排档	(名)	dàpáidàng	*an eating place with a lot of food stalls*
20. 小吃	(名)	xiǎochī	nosh；snack
21. 半夜	(名)	bànyè	midnight
22. 费用	(名)	fèiyòng	expense：生活～｜旅行～｜留学的～｜～很贵｜～很高
23. 调查	(动)	diàochá	to investigate：～情况｜～原因
24. 其中	(名)	qízhōng	among（which）；in（which）：①我们班一共有 16 个同学，～有 7 名男生。｜②这儿的大学生每个月大概花 1000 元，～500 元用来吃饭。
25. 蛇	(名)	shé	snake：一条～
26. 猫	(名)	māo	cat：一只～
27. 翅膀	(名)	chìbǎng	wing
28. 寒冷	(形)	hánlěng	很冷 cold; chilly：～的冬天｜天气很～
29. 土豆	(名)	tǔdòu	potato

30. 白菜	(名)	báicài	chinese cabbage
31. 炖	(动)	dùn	to stew：～土豆｜～豆腐
32. 耐心	(名)	nàixīn	patience：①张老师对学生特别有～。｜②我等人的时候最没有～。
33. 符合	(动)	fúhé	be in line with; accord with：①～条件的同学都可以参加。｜②你的作业不～要求。｜③你说的不～实际。

专 名

1. 山西	Shānxī	*a province of northern China*
2. 四川	Sìchuān	*a province of southwest China*
3. 无锡	Wúxī	*a city of eastern China between Shanghai and Nanjing*
4. 苏州	Sūzhōu	*a city of eastern China*
5. 杭州	Hángzhōu	*a city of eastern China at the head of Hangzhou Bay*
6. 柳州	Liǔzhōu	*a city of southern China*

◎ **你了解中国人吃饭的习惯吗？请看看下面的说法是否正确：**

1. 四川人喜欢吃辣的。（   ）

2. 南方人喜欢吃甜的。（   ）

3. 东北人很喜欢炒菜。（   ）

4. 烤鸭是北京的名菜。（   ）

5. 臭豆腐闻起来、吃起来都很臭，所以很多人都不喜欢吃。（   ）

6. 在中国，广州人在吃的方面花钱最多。（   ）

7. 东北冬天的时候蔬菜比较少。（   ）

8. 东北人做菜的方法和他们的性格有关系。（   ）

课 文

一、读课文，看看上面练习中你的回答是否正确，并把不对的地方改
对。

吃在中国

　　山西人爱吃醋，四川人爱吃辣，无锡人爱吃甜。在中国，不同地方菜的味道不同，人们吃饭的习惯也不一样。

北　京

　　北京过去是皇帝和高官住的地方，有很多有名的菜，例如以前皇帝和高官们吃的满汉全席①，一共有108道名菜，要吃三天三夜，普通人当然没有机会吃，也吃不起。一般老百姓吃得起的名菜是北京烤鸭，很多外地人、外国人到了北京都要尝尝北京烤鸭。到了冬天很多北京人爱吃涮羊肉，新鲜的羊肉片在开水里涮一下就吃，味道好极了。还有一些老北京爱吃臭豆腐，据说它闻起来臭，吃起来香，不过从来没吃过的人第一次吃的时候常常不喜欢。

广　州

　　有人说：广州人好吃、肯吃、会吃、敢吃。只要你到了广州，看到城市里那

二、根据课文，回答下面的问题：

1. 满汉全席是什么样的菜？普通人常常吃满汉全席吗？为什么？

2. 现在人们都喜欢尝尝的北京名菜是什么？你自己吃过了吗？

3. 冬天北京人喜欢吃什么？怎么吃？

4. 在吃的方面，关于广州人有什么说法？

么多茶楼、饭店、酒家、大排挡、小吃店，再看看到了半夜大街上还有那么多人在吃东西，你就不得不承认广州人好吃。

"肯吃"的意思是广州人愿意在吃的方面花很多钱。几年前，有人对九大城市人们的生活费用进行了调查。根据这一调查，广州人在吃的方面花的钱占他们生活费用的60.95％，是九大城市中最多的。

中国有八个地方的菜很有名，其中最有名的是广州菜，因为中国人常常说一个人应该"生在苏州，住在杭州，吃在广州，死在柳州②"，意思是广州人最会吃，最懂得怎么吃。

广州人请朋友吃饭的时候，常常问北方朋友某样东西敢不敢吃。是啊，蛇、猫不是人人都敢吃的。所以有人说，广州人长翅膀的东西除了飞机不吃，四条腿的东西除了桌子不吃，别的都敢吃。

东　北

冬天的时候，东北的天气特别寒冷，人

5. 为什么说广州人好吃？

6. 为什么说广州人肯吃？

7. 为什么说广州菜最有名？

8. 在你们国家人们对不同的地方有特别的印象吗？有没有像"生在苏州、住在杭州……"这样的话？

9. 为什么说广州人敢吃？

10. 你觉得哪些动物人们不应该吃？为什么？

11. 为什么东北人喜欢炖菜？

12. 你觉得吃饭的习惯和人们的性格有关系吗？

们吃的蔬菜以土豆、白菜为主。东北人喜欢炖菜，什么都炖：土豆炖牛肉、土豆炖茄子、白菜炖豆腐……炖菜最大的好处就是做起来方便，一家人，一两个炖菜就够了。东北人没有耐心一点一点地做一顿菜，那不符合东北人着急的性格。

（根据中国文联出版社《闲说中国人》有关内容改写）

注：① 满汉全席：清朝的时候，满族人统治中国。为了改变满族人和汉族人的关系，康熙皇帝60岁生日的时候请满族和汉族的官员吃饭，第一次把满族和汉族的菜单结合在一起，所以叫"满汉全席"。

② "生在苏州，住在杭州，吃在广州，死在柳州"：过去很多中国人认为苏州人很漂亮，所以应该在苏州出生；杭州的风景很美丽，所以应该在杭州生活；广州的菜很好吃，所以应该在广州吃东西；柳州的树特别好，可以用来做棺材，所以死的时候应该在柳州。

三、采访你的搭档，了解他们国家吃饭方面的情况。下面的问题可以帮助你：

1. 在你们国家，不同地方的人吃饭的习惯一样吗？请举例说明。

2. 你们国家的人最经常吃的蔬菜和肉是什么？

3. 你们国家的人做饭常常用什么方法？（炖、涮、炒、烤、煮等等）

4. 你们国家的人吃什么特别的东西吗？

……

语言点

一、动词 + 得起 / 不起

这个格式最常见的意思是：（没）有足够的钱或时间做某事。例如：

(1) 满汉全席普通人没有机会吃，也吃**不起**。

(2) 每天坐出租车来上课，你坐**得起**吗？

(3) 现在去电影院看一次电影要一百多块，去**得起**的人一般都是有钱人。

(4) 这个电视剧太长了，每天两个小时，要看一个月，我花**不起**这么多时间。

(5) 根据一些城市的规定，养狗第一年要交几千块钱，所以很多人养**不起**狗。

(6) 研究这种飞机需要非常多的钱，普通的公司研究**不起**。

◎ 用"动词 + 得起 / 不起"完成下面的句子：

1. 最新的电脑＿＿＿＿＿＿＿＿＿＿＿＿＿＿＿＿＿＿＿＿。

2. 这儿的菜太贵了，＿＿＿＿＿＿＿＿＿＿＿＿＿＿＿＿。

3. 那家饭店住一个晚上要 1200 块，＿＿＿＿＿＿＿＿＿＿。

4. 女朋友喜欢的衣服 3000 块，＿＿＿＿＿＿＿＿＿＿＿＿。

5. 学习法律和医学的学费很高，＿＿＿＿＿＿＿＿＿＿＿＿。

6. 使用这种新的药，每天需要一万块钱，＿＿＿＿＿＿＿＿。

二、动词 + 起来

强调某一动作的实际进行，表示从某一方面对动词所表达的动作进行评价。可以理解为"如果 + 动词，……"。（"起来"的其他用法参见第五课。）

例如：

(1) 一些老北京爱吃臭豆腐，据说它闻**起来**臭，吃起来香。

(2) 炖菜最大的好处就是做**起来**方便。

(3) 有些菜看起来不错，吃**起来**味道一般。

(4) 饺子吃起来很好吃，可是做**起来**很麻烦。

(5) 有些工作看**起来**很简单，可实际上很复杂。

(6) 太阳看**起来**离我们比较近，（但）实际上离我们非常远。

◎ 根据下面的对话或图，用"动词 + 起来"造句：

例如："是 83765085 还是 83165085？"

<u>这两个号码听起来差不多。</u>

1. "看，山就在前面，太好了，马上就到了。"

（半个小时以后）"已经走了半个小时了，怎么还没到啊。"

（一个小时以后）"终于到了，以为很近，走了一个小时才到。"

_____

2. A 和 B 哪个长一点？　　　　　A 和 B 哪个大一点？

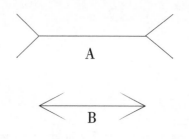
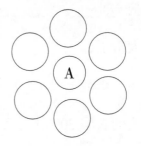
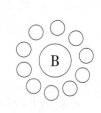

_____

3. 这些鞋中你喜欢哪一双？为什么？

三、肯

表示愿意、乐意。可以单独回答问题。单用时，前面不能加"很"；与某些动词短语连用时，前面可以加"很"，如"很肯干"，但不能说"很肯来"。否定用"不肯"。例如：

(1) 广州人在吃的方面比较**肯**花钱。

(2) 只要**肯**努力，你就一定能成功。

(3) 有些女孩子眼睛不好也不**肯**戴眼镜。

(4) 很多孩子到了十几岁就不**肯**跟爸爸妈妈一起出去了。

(5) A：这孩子为什么哭？

　　B：他妈妈不**肯**给他买玩具，所以他哭着不**肯**回家。

(6) A：他**肯**不**肯**帮助你？

　　B：应该**肯**，他非常**肯**帮助别人（＊他非常**肯**帮）

◎ 用"肯"或者"不肯"完成下面的句子或对话：

1. 因为回家以后，爸爸妈妈总是叫他学习，所以＿＿＿＿＿＿＿＿＿＿。

2. 现在，越来越多的年轻人＿＿＿＿＿＿＿＿＿＿＿＿＿＿＿＿。

3. A：为什么有的国家的人口越来越少？

　　B：＿＿＿＿＿＿＿＿＿＿＿＿＿＿＿＿＿＿＿＿＿＿＿。

4. A：他为什么要离开那家公司？

　　B：＿＿＿＿＿＿＿＿＿＿＿＿＿＿＿＿＿＿＿＿＿＿＿。

5. A：他的病怎么还没好？

　　B：＿＿＿＿＿＿＿＿＿＿＿＿＿＿＿＿＿＿＿＿＿＿＿。

四、只要……就

用在表示条件的复句中。"只要"的后边是必要条件，最低要求。"只要"可以用在主语前，也可以用在主语后。"就"的后边是结果。例如：

(1) **只要**你到了广州，看到城市里那么多茶楼、饭店、酒家、大排档、小吃店，你**就**不得不承认广州人好吃。

(2) 小王一直吃素，**只要**吃了肉，他**就**不舒服。

(3) **只要**你注意别太累，每天按时吃药，你的血压**就**不会有问题。

(4) 在巴西①，司机**只要**违反②交通规则③，**就**要去幼儿园上学，和孩子们一起玩开车的游戏，重新学习交通规则。在美国有的地方，司机**只要**违反交通规则，**就**要去医院当护士，照顾那些因为交通事故④受伤的人。在哥伦比亚⑤，司机**只要**违反交通规则，**就**要去电影院看电影，当然看的都是一些可怕的交通事故的电影。

注：① 巴西 Bāxī：Brazil   ② 违反 wéifǎn：violate
     ③ 规则 guīzé：rule   ④ 事故 shìgù：accident
     ⑤ 哥伦比亚 Gēlúnbǐyà：Colombia

（一）班里的同学打算星期五一起去吃饭，每个同学都想去，不过都有一个条件。班长问每个同学想不想去，下面是他们的回答。请你根据他们的话，用"只要……就"完成下面的对话：

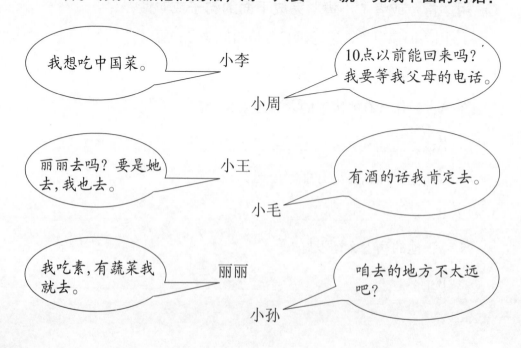

我想吃中国菜。 小李

10点以前能回来吗？我要等我父母的电话。 小周

丽丽去吗？要是她去，我也去。 小王

有酒的话我肯定去。 小毛

我吃素，有蔬菜我就去。 丽丽

咱去的地方不太远吧？ 小孙

咱们吃什么?我不
能吃辣的。　　小张

小钱

星期五没事的话
我一定去。

班长：小李，你去不去?

小李：<u>只要吃中国菜，我就去。</u>

班长：小王，你去不去?

小王：＿＿＿＿＿＿＿＿＿＿＿＿＿＿＿＿＿＿＿＿＿＿。

班长：那丽丽你去不去?

丽丽：＿＿＿＿＿＿＿＿＿＿＿＿＿＿＿＿＿＿＿＿＿＿。

班长：小张，你去不去?

小张：＿＿＿＿＿＿＿＿＿＿＿＿＿＿＿＿＿＿＿＿＿＿。

班长：小周，你去不去?

小周：＿＿＿＿＿＿＿＿＿＿＿＿＿＿＿＿＿＿＿＿＿＿。

班长：小毛，你去不去?

小毛：＿＿＿＿＿＿＿＿＿＿＿＿＿＿＿＿＿＿＿＿＿＿。

班长：小孙，你去不去?

小孙：＿＿＿＿＿＿＿＿＿＿＿＿＿＿＿＿＿＿＿＿＿＿。

班长：小钱，你去不去?

小钱：＿＿＿＿＿＿＿＿＿＿＿＿＿＿＿＿＿＿＿＿＿＿。

(二) 完成下面的句子或对话：

　　1.小王不会喝酒，他只要喝一点酒，＿＿＿＿＿＿＿＿＿＿＿。

　　2.只要有时间，＿＿＿＿＿＿＿＿＿＿＿＿＿＿＿＿＿＿。

　　3.只要我有钱，＿＿＿＿＿＿＿＿＿＿＿＿＿＿＿＿＿＿。

147

4. 只要天气好，＿＿＿＿＿＿＿＿＿＿＿＿＿＿＿＿＿＿＿＿。

5. ＿＿＿＿＿＿＿＿＿＿＿＿＿＿＿＿＿＿＿，就马上回国。

6. ＿＿＿＿＿＿＿＿＿＿＿＿＿＿＿＿＿＿，我就给你钱。

7. ＿＿＿＿＿＿＿＿＿＿＿＿＿＿＿＿＿＿＿，就能成功。

8. A：明年你还来中国吗？

B：＿＿＿＿＿＿＿＿＿＿＿＿＿＿＿＿＿＿＿。

9. A：怎样才能减肥？

B：＿＿＿＿＿＿＿＿＿＿＿＿＿＿＿＿＿＿＿。

10. 小王：你愿意跟我结婚吗？

丽丽：＿＿＿＿＿＿＿＿＿＿＿＿＿＿＿＿＿。

五、不得不

由于某种情况而必须做某事。例如：

(1) 看看半夜大街上还有那么多人在吃东西，你就**不得不**承认广州人好吃。

(2) 要想学好外语，你**不得不**记生词。

(3) 由于银行的问题越来越多，政府**不得不**进行改革。

(4) 因为一起去的朋友生病了，我**不得不**结束了这次旅行。

(5) "你爱我吗？"是丈夫们常常**不得不**回答的问题。

(6) A：你这么早就要去机场？

B：现在安全检查很麻烦，所以**不得不**早点（去）。

◎ 用"不得不"完成下面的句子：

1. 邻居的录音机声音太大了，＿＿＿＿＿＿＿＿＿＿＿＿＿＿。

2. 回家的时候已经没有公共汽车了，＿＿＿＿＿＿＿＿＿＿＿。

3. 妻子生病了，＿＿＿＿＿＿＿＿＿＿＿＿＿＿＿＿＿＿。

4. 因为工作的地方离家太远，＿＿＿＿＿＿＿＿＿＿＿＿＿。

5. 有了孩子以后，_____。

6. 家里一点吃的东西也没有了，_____。

7. 我的钱都花完了，_____。

六、以……为主

常用格式：A 以 B 为主，表示在 A 的范围内，主要是 B。B 可以是名词、形容词或动词短语。例如：

(1) 冬天的时候，东北的天气特别寒冷，人们吃的蔬菜**以**土豆、白菜**为主**。

(2) 30年前，中国人衣服的颜色**以**蓝的和绿的**为主**。

(3) 在网吧上网的人**以**学生**为主**。

(4) 下周的天气**以**晴**为主**。

(5) 他练习口语的方法**以**跟中国人聊天**为主**。

◎ 模仿下面的例子，先填表，然后用"以……为主"说说你们自己国家的情况：

	中　　国	我们国家
民　　族	汉族最大	
当领导的人	男的多	
经　　济	工业和农业最重要	
学　　校	主要是国家办的学校	
城市交通	主要是自行车和公共汽车	
主　　食	南方：米饭 北方：面食	

中国的情况：

中国的人口以汉族为主，当领导的以男的为主。中国的经济以工业和农业为主，学校以国家办的学校为主，城市交通以自行车和公共汽车为主。在吃的方面，南方人的主食以米饭为主，北方人以面食为主。

我们国家的情况：

_____

_____

_____

_____

第十二课　请客吃饭

词语

1. 请客		qǐng kè	请人吃饭、看电影等 to treat some-body：① 今天我找到了工作，咱们一起去饭馆吃饭，我～。│② 今天晚上老板请大家的客，一起去看电影。
2. 讲究	(名)	jiǎngjiu	需要注意的地方 particularities：① 喝茶有很多～，比如什么茶叶用什么杯子，用多热的水都有～。│② 烤鸭的做法很有～。
3. 座位	(名)	zuòwèi	seat
4. 先后	(名)	xiānhòu	priority; order：① 事情很多，我得根据～顺序干。│② 请大家按～顺序排好队。
5. 方	(形)	fāng	square：～桌│～脸│～西瓜│以前中国人认为天是圆的，地是～的。
6. 客人	(名)	kèrén	guest
7. 主人	(名)	zhǔrén	host; hostess：① 你来这儿玩，你是客人，我是～，当然应该我请客。│② 女～还在忙什么？快一起来吃吧。

8. 邀请	（动）	yāoqǐng	to invite：接受某人的～｜～信｜① 我刚认识他，他就热情地～我去他家。｜② 中国领导人～我们国家的总统来访问中国。
9. 入座	（动）	rùzuò	be seated
10. 往往※	（副）	wǎngwǎng	usually；more often than not
11. …的话※		…dehuà	if
12. 凉	（形）	liáng	cool：① 天～了，多穿点衣服。｜② 中国人冬天不习惯喝～水。｜③ 咱们要两个～菜吧。
13. 招呼	（动）	zhāohu	call；look after：① 我来做饭，你去～客人。｜② 吃完饭以后，我洗碗，你～孩子们洗澡。
14. 或	（连）	huò	or：① 我明天～后天回来。｜② 你给我打电话～发 E-mail 都行。
15. 其他	（代）	qítā	other：① 他们班只有一个北京人，～人都是外地人。｜② 你去买菜，～事我来做。｜③ 我数学考得不太好，～的都还可以。
16. 过程	（名）	guòchéng	course；process：① 心理学家一直在研究孩子们学习语言的～。｜② 我知道他们俩为什么吵架，因为我看到了他们吵架的全～。
17. 夹	（动）	jiā	to nip；press from both sides：～菜｜手里～着一根香烟｜① 衣服被门～住了。｜② 他左边～着伞，右边～着包。

18. 随便	（形）	suíbiàn	casually; randomly：～吃｜～写｜① 他穿衣服很～。｜② 现在许多公园不要门票，人们可以～参观。
19. 特殊	（形）	tèshū	跟 "普通" 意思相反 special; particular：～情况｜～爱好
20. 做客		zuò kè	be a guest：到某人家～｜欢迎你来～
21. 光	（形）	guāng	be used up：吃～｜用～｜花～
22. 劝	（动）	quàn	persuade：① 丽丽和朋友吵架以后生气地哭了，你快去～～她。｜② 那个地方很危险，我们都～小王不要去。｜③ 他的病刚好，你要～他多休息。｜④ 我们都～过他了，可是他不听。
23. 特点	（名）	tèdiǎn	characteristic：① 那个人的～是笑的时候眼睛变得很小。｜② 很多南方小城市的～是河多、桥多。｜③ 每个国家的人都有一些～。
24. 干杯		gān bēi	drink a toast; bottom up：① 为大家的健康～！｜② 他已经干了三杯酒了。
25. 地区	（名）	dìqū	area; region：西北～｜经济发展最快的～
26. 风俗	（名）	fēngsú	(social) custom：① 我对不同国家的～很感兴趣。｜② 过中秋节吃月饼是中国的传统～。
27. 醉	（动）	zuì	酒喝得太多 get drunk：① 你已经喝～了，不能再喝了。——我没

153

			~，我还要喝。｜②他~得都不知道自己家在哪儿了。
28. 中餐	（名）	zhōngcān	中国菜 chinese food
29. 热闹	（形）	rènao	lively：①爸爸不爱去~的地方。｜②考完试以后，我们全班同学一起去热热闹闹地吃了一顿。
30. 陪	（动）	péi	accompany:~某人（做某事）｜①这里我一个人就行了，你去~~客人吧。｜②老师，昨天我~朋友去医院了，所以没来上课。｜③下个星期我要~父母去旅行，所以请三天假。
31. 闹笑话		nào xiàohua	make a fool of oneself

一、试一试，在下面的句子中填上合适的词：

热闹　醉　特点　干杯　做客　凉　客人　劝

1. 在农村过春节比城市里_____。

2. 昨天晚上小王跟朋友们一起吃饭，他老跟别人_____，结果喝_____了。

3. 古代汉字的_____是许多字的形状和它们的意思有关系。

4. 我的中国朋友请我这个周末到他们家_____。

5. 赶快吃吧，菜都_____了。

6. 售货员_____我买那双贵的鞋，我觉得他希望我多花钱。

7. 今天中午我们去的那家饭馆，除了我和我的朋友，没有别的_____。

二、和你的搭档一起猜猜：下面关于中国人请客吃饭的习惯，哪些说法是真的？(请在真的说法后画"＋")

1. 女主人右边的座位常常留给最重要的客人。（　　　）

2. 吃饭的过程中，主人应该给最重要的客人夹菜。（   ）

3. 中国人请客吃饭的时候，不是菜上来后客人就可以随便吃。（   ）

4. 客人一定要吃完主人做的菜，这样才说明主人做的菜好吃。（   ）

5. 主人喜欢劝客人喝酒，客人之间也常常劝酒。（   ）

6. 在中国人家里做客，喝酒喝醉了是很不好的事情。（   ）

课 文

请客吃饭

以前中国人请客吃饭的讲究很多。从座位的安排到上菜的先后顺序，从谁第一个开始吃到什么时候可以离开，都很有讲究。

在安排座位时，根据过去的传统，方桌朝南的两个座位，特别是左边的那个，要给最重要的客人坐。主人邀请客人们入座时，客人们往往先坐不重要的座位，而把重要的座位留给别人。有时候，最重要的或者年纪最大的客人没有坐下的话，别的客人往往不肯坐下。

上菜的时候，一般先上凉菜，然后上热菜。每道菜上来以后，主人都会招呼大家吃。这时，一般要等最重要或最年老的客人开始吃，其他人才会跟着吃。吃饭过程中，主人常常会说"多吃点儿""慢慢吃"，有时候还会替客人夹菜。桌上的菜，有时候并不都可以随便吃，比如，过春节或者主人家因为结婚请客，餐桌上的鱼客人们往往不吃，因为这道菜有特殊的意义。去别人家做客，中国人一般不会把主人准备的菜都吃光，因为那样的话，主人会很不好意思，觉得自己准备的菜不够。

　　请客吃饭常常少不了酒，劝酒是中国人吃饭最有特点的地方。主人喜欢劝酒，总是劝客人多喝点儿，常常和客人干杯。客人之间往往也互相劝酒。在北方一些地区，还有这样的风俗：人们认为客人喝醉了，才是主人真正的好朋友。要是客人不肯多喝的话，主人就会不高兴。所以，在中餐桌上，你总能看到人们劝酒、劝菜、高声谈笑，非常热闹。

　　在餐桌上，先吃完的人应该跟别人打招呼："各位慢慢吃""慢用"。主人应该是最后一个吃完的——他必须陪着客人。吃完饭后，客人们并不是马上就离开，往往还要聊一会儿天。等最重要的客人打算走了，大家才能离开。

　　当然，在家里请客的人现在越来越少了，餐桌上的讲究也没以前那么多了。不过，如果你对这方面的知识一点也不了解的话，就很可能会闹笑话。

一、阅读课文，看看你和搭档前面猜的是不是正确。

二、根据课文，下面哪个座位应该给最重要的客人坐？

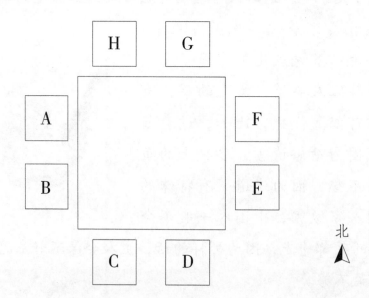

三、根据课文内容填空：

（如果中国人请你和其他一些客人吃饭）

1. 入座的时候，应该_____。

2. 菜上来的时候，应该_____。

3. 吃菜的时候，不要_____。

4. 吃完以后，应该_____，

  不要_____。

四、下面是对一些问题的回答，请你写出问题是什么：

例：问题：中国人请客吃饭有什么讲究？

    回答：座位的安排、上菜的顺序、什么时候离开等都有讲究。

 1. 问题：_____？

  回答：方桌朝南的两个座位给重要的客人坐。

 2. 问题：_____？

  回答：上菜时先上凉菜，然后上热菜。

 3. 问题：_____？

  回答：如果客人把菜都吃完了，主人会不好意思，觉得自己准备的菜
  不够。

 4. 问题：_____？

  回答：在北方一些地区，人们认为喝醉酒的客人才是主人真正的好
  朋友。

 5. 问题：_____？

  回答：因为主人应该陪着客人，所以他应该最后一个吃完。

 6. 问题：_____？

  回答：吃完饭以后，应该等最重要的客人打算走了，大家才能离开。

157

语言点

一、并不 + 动词／形容词　　　并没（有）+ 动词

强调否定语气，常用于表示转折的句子中，或者是否定某种看法或情况，或者是反驳对方所说的，并说明真实的情况。

(1) 吃完饭后，客人们**并不**是马上就离开，往往还要聊一会儿天。

(2) 虽然他年轻的时候学习医学，也当过医生，可是他的理想**并不**是当医生。

(3) A：中国人都会骑自行车吧？

　　B：中国人**并不**都会骑自行车。

(4) 我的同屋说他上午没上课是去医院看病，其实他**并没**去医院。

◎ 用"并不 + 动词／形容词"或"并没（有）+ 动词"完成下面的对话：

例如：A：你是中国人，为什么不喜欢吃饺子？

　　　B：中国人并不都喜欢吃饺子。（／并不是所有中国人都喜欢吃饺子。）

(1) A：听说红头发的人常常容易生气。

　　B：_____

(2) A：北京人说的都是普通话。

　　B：_____

(3) A：你比我胖，当然应该多吃点。

　　B：_____

(4) A：中国以前的皇帝都是男的吧？

　　B：_____

(5) A：工作时间长的人当然工作很努力。

　　B：_____

(6) A：丽丽家那么有钱，她多幸福啊！

　　B：_____

二、往往

　　表示在通常条件下，某种行为或情况一般怎样发生或可能怎样发生，常常带有规律性或推断性。

　　"往往"和"常常"在意义和用法方面有些不同。例如"往往"修饰的情况一般有规律性，而"常常"不一定；"往往"只能用于到目前为止的情况或规律，而"常常"没有这样的限制。

(1) 客人之间也**往往**互相劝酒。

(2) 吃完饭后，客人们并不是马上就离开，**往往**还要聊一会儿天。

(3) 说自己醉了不能再喝的人**往往**没有醉，而说自己没醉的人**往往**是喝醉了。

(4) 人们冬天**往往**比夏天吃得多。

(5) 男人过生日的时候**往往**喜欢考虑自己的过去和将来。

（一）用"往往"完成下面的句子：

1. 到了周末_____。

2. 考试以前_____。

3. 儿童学习母语_____。

4. 年轻人开车_____。

5. 喜欢看电视的孩子_____。

6. 公司的老板们_____。

（二）下面哪些句子中的"常常"不能变成"往往"？

1. 老人常常不喜欢最新的流行音乐。

2. 等放假了，我一定要常常找中国人聊天。

3. 你常常不吃早饭吗？

4. 我的弟弟常常笑。

5. 读书的时候，看到不认识的汉字，我常常喜欢查字典。

（三）问问你的搭档：他（她）发现中国人（／中国的老人／中国学生……）
有哪些特点，请他谈谈，注意用上"往往"。

三、……的话

用在假设小句的末尾。假设小句的句首可以有"如果、要是、假如"等
表假设的连词与它呼应。例如：

(1) 中国人一般不会把主人准备的菜都吃光，因为那样**的话**，主人会很
不好意思，觉得自己准备的菜不够。

(2) 要是客人不肯多喝**的话**，主人就会不高兴。

(3) 学习中有问题**的话**，可以问老师，也可以问中国同学。

(4) 要是你来**的话**，来之前先给我打个电话；不来**的话**，也打个电话告
诉我一下。

(5) 如果有时间**的话**，我要去看海。

◎ **完成下面的句子：**

1. 我有了孩子的话，_____。

2. 我现在有 1000 万人民币的话，_____。

3. 如果我是男的（女的）的话，_____。

4. 要是我只能活三天的话，_____。

5. _____，我会很生气。（……的话）

6. _____，你就能成功。（……的话）

7. _____，我就换工作。（……的话）

8. _____，我就去喝酒，一直喝到醉。（……的话）

9. _____，我就离婚。（……的话）

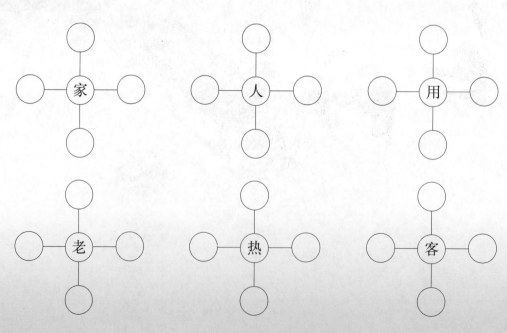

第六单元　单元练习

一、说说下面的字有什么相同的部分，请再写出几个这样的字：

例如：应、席：都有__广__，这样的字还有：商<u>店</u>、麻<u>烦</u>、豆<u>腐</u>、<u>座</u>位

费、贵：都有_____，这样的字还有：_____

烤、烦：都有_____，这样的字还有：_____

酒、醋：都有_____，这样的字还有：_____

劝、历：都有_____，这样的字还有：_____

耐、过：都有_____，这样的字还有：_____

二、组词：

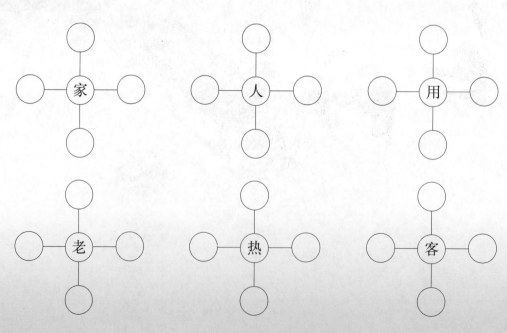

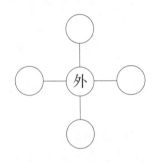

三、 填写合适的名词：

例如：炖 <u>土豆 / 白菜 / 豆腐</u>　　重要 客人 / 节日

1. 烤<u>　　　　　　　　</u>　　2. 陪<u>　　　　　　　　</u>

3. 方<u>　　　　　　　　</u>　　4. 凉<u>　　　　　　　　</u>

5. 调查<u>　　　　　　　</u>　　6. 符合<u>　　　　　　　</u>

7. 新鲜<u>　　　　　　　</u>　　8. 普通<u>　　　　　　　</u>

四、 什么东西有下面的味道？请最少写出两种：

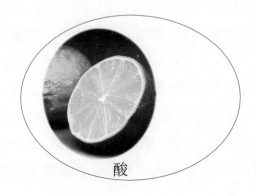

酸

甜

苦

辣

香

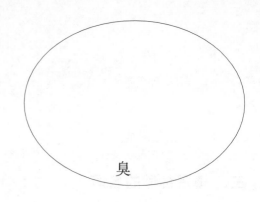

臭

五、 阅读下面的文章，然后完成后面的练习：

　　最近我母亲来苏州看我，她对中国的文化还比较了解，但我的朋友小美还是给她上了一堂"用筷子①吃饭"的课。小美说："伯母拿筷子太低，样子很不自然，夹菜的力量太小，也不知道用公筷②。"总之③，母亲拿筷子拿得不好。还好这些话都要经过我的翻译，听起来没那么不舒服。在旁边吃饭的儿子和女儿也一起哈哈大笑着说："奶奶不会用筷子！"

　　曾经听人说，中国人不需要用刀叉④：筷子就是叉子，牙齿⑤就是刀子。中国菜一般也切⑥得比较小，送到饭桌上就可以吃。我以前不太了解的是，如果刚好夹到一大块肉或一块鸡腿，该如何处理？法国人习惯用刀子切成大小刚好的食物，再用叉子送到嘴里，比用筷子要复杂多了；但用筷子成功地夹花生米⑦或鸡蛋，是一件我们觉得很不简单的事情。

　　用筷子吃饭在我们眼中也有缺点⑧：要把肉或整个虾⑨放进嘴里，吃完了肉再把骨头⑩或虾壳⑪吐出来，实在不礼貌⑫。再说，用筷子吃饭时，必须把碗举起来，让嘴和饭碗靠得近一点，而按照我们吃饭的习惯，碗或盘子是绝对不该离开桌面的！

　　看样子，我要真的入乡随俗⑬的话，只好在苏州各个大小餐厅继续努力练习用筷子的技术了！

（根据〔法国〕孟德威《环球时报》文章改写）

注：
①	筷子	kuàizi	chopsticks
②	公筷	gōngkuài	chopsticks for serving food
③	总之	zǒngzhī	in short
④	刀叉	dāochā	knife and fork

⑤ 牙齿	yáchǐ	tooth
⑥ 切	qiē	to cut
⑦ 花生米	huāshēngmǐ	peanut
⑧ 缺点	quēdiǎn	shortcoming
⑨ 虾	xiā	shrimp
⑩ 骨头	gǔtou	bone
⑪ 壳	ké	shell
⑫ 礼貌	lǐmào	courtesy
⑬ 入乡随俗	rù xiāng suí sú	when in Rome, do as the Romans do

（一）这篇文章中，作者主要谈的是（　　）

    A. 对用筷子吃饭的看法　　　　B. 应该如何用筷子

    C. 母亲使用筷子的故事　　　　D. 筷子比刀叉方便

（二）关于作者，下面哪句话不对？（　　）

    A. 住在苏州　　　　　　　　　B. 已经有孩子

    C. 是个翻译　　　　　　　　　D. 不会用筷子

（三）文章认为，用筷子吃饭有什么缺点？（至少说两点）

  缺点一：

  缺点二：

（四）你自己觉得用筷子还有哪些好处和缺点？

  好处：

  缺点：

六、写作：写一篇短文，介绍你们国家请客吃饭的习惯，或者谈谈你在中国
    吃饭的感觉和印象。

165

第七单元　单元热身活动

1. 你平时和中国人交往的时
   候，遇到过什么麻烦吗？
   为什么会有这样的麻烦？

2. 跟别人见面、打招呼，或
   者去别人家做客的时候，
   中国人的哪些习惯和你们
   国家不一样？

第十三课 应该怎么做

词 语

1.入乡随俗		rù xiāng suí sú	when in Rome, do as the Romans do
2.遵守	(动)	zūnshǒu	obey：～时间｜～法律｜～规定
3.任何※	(代)	rènhé	any：～国家｜～人｜～事情
4.当地	(名)	dāngdì	local; at the place in question
5.否则※	(连)	fǒuzé	otherwise; or else
6.问候	(动)	wènhòu	greet：向某人～｜～某人
7.方式	(名)	fāngshì	manner; way (of doing something)：问候别人的～｜说话～
8.相互	(副)	xiānghù	mutually; reciprocally：～关心｜～影响
9.拥抱	(动)	yōngbào	to hug：①老王热情地～了三十年没见的老朋友。｜②他～了一下妻子，然后走进了机场。｜③孩子们都喜欢母亲的～。
10.鞠躬		jū gōng	to bow：①日本人见面的时候常常互相～。｜②他向大家深深地鞠了一躬表示感谢。
11.主动	(形)	zhǔdòng	on one's own initiative：①你喜欢丽丽，就该～请她吃饭、看电影。｜②点菜的时候，服务员～给我们介绍菜的特点。｜③你们的孩子学习不～，老师让做什么才做，老师不说，他就不做。

12. 佛教	(名)	Fójiào	Buddhism
13. 合	(动)	hé	to combine; to join：① 两个班的学生都不多，～成一个班吧。| ② 他们俩～办了一个公司。| ③ 我和朋友一起在学校外边～租了一套房子。
14. 而※	(连)	ér	yet
15. 千万※	(副)	qiānwàn	must; be sure to
16. 厕所	(名)	cèsuǒ	WC; toilet
17. 食品	(名)	shípǐn	吃的东西 food
18. 礼貌	(形)	lǐmào	courtesy
19. 宗教	(名)	zōngjiào	religion
20. 佛像	(名)	fóxiàng	figure of Buddha
21. 神圣	(形)	shénshèng	sacred
22. 重视	(动)	zhòngshì	attach importance to：① 现在父母都很～孩子的学习，对其他方面不太～。| ② 我们公司比较～服务，不太～做广告。
23. 尊敬	(动)	zūnjìng	to respect; revere：① 学生们都非常～张老师。| ② 你怎么能和父母吵架呢？这是不～父母。
24. 摇	(动)	yáo	to shake：① 在我们国家，～头表示不同意。| ② 孩子哭的话，你～几下，他就会安静下来。| ③ 狗一看见主人回来了就～尾巴（tail）。
25. 叉(子)	(名)	chā (zi)	fork：一把～
26. 筷子	(名)	kuàizi	chopsticks：一双～
27. 抓	(动)	zhuā	to grasp：① 用筷子吃，别用手～。| ② 孩子左手～了两块糖，右手～了一块巧克力。

28. 圈	(名)	quān	circle; loop：上课的时候，同学们坐成一~。
29. 按	(动)	àn	to press：① 你~一下这个地方，盒子就打开了。｜② 你为什么~着肚子？肚子疼吗？
30. 盆	(名)	pén	basin
31. 手指	(名)	shǒuzhǐ	finger
32. 胸	(名)	xiōng	chest
33. 脖子	(名)	bózi	头和身体之间的部分 neck：① 哪种动物的~最长？｜② 用电脑的时间太长了，~有点疼。
34. 胃	(名)	wèi	tomach：~疼｜~病
35. 亲爱	(形)	qīn'ài	dear：~的爸爸妈妈，你们好吗？

专 名

1. 巴基斯坦	Bājīsītǎn	Pakistan
2. 东南亚	Dōngnányà	Southeast Asia
3. 印度	Yìndù	India
4. 中东	Zhōngdōng	Middle East
5. 俄罗斯	Éluósī	Russia
6. 泰国	Tàiguó	Thailand
7. 保加利亚	Bǎojiālìyà	Bulgaria
8. 非洲	Fēizhōu	Africa
9. 马里	Mǎlǐ	Mali
10. 博茨瓦纳	Bócíwǎnà	Botswana

◎ 猜一猜下面的说法对不对：

1. 在巴基斯坦，男人们见面的时候互相拥抱或握手，男人和女人只握手，不拥抱。

2. 在泰国，不能用左手摸孩子的头，只能用右手。

3. 世界上所有的国家都一样：点头表示同意，摇头表示反对。

4. 在有的非洲国家，孩子只能吃鸡的头、脚和翅膀。

课 文

应该怎么做

1　　在中国，人们常说要"入乡随俗"，意思是：到了一个地方就要遵守那个地方的风俗习惯。实际上，在世界其他国家也一样。你去任何国家，都应该了解当地的风俗习惯，否则就会闹笑话，还可能遇到麻烦。

2　　不同的国家，人们见面时问候的方式往往不同，有的互相握手，有的相互拥抱。比如在巴基斯坦，好久没见面的朋友见了面总要热情拥抱，而且要拥抱三

次以上。不过，妇女不和男客人握手或拥抱，她们只会微笑、鞠躬。男客人也不能主动与女主人握手。东南亚的一些佛教国家，人们见面时双手合十，而日本人见面时一般是互相鞠躬。

3　　如果去印度或中东旅行，你吃饭或者拿东西的时候千万不能用左手。因为在这些国家人们洗澡、上厕所一般是用左手，他们认为左手不干净，所以用左手拿食品是最不礼貌的事情。在俄罗斯，人们握手或拿东西也用右手，而不用左手，因为他们认为用左手的话，会有不好的事情发生。

4　　不同的国家还有很多不同的宗教习惯。例如泰国是一个佛教国家，所有的佛像都是神圣的，参观的人不能随便照相。在日本和印度，进庙里去以前，应该先脱鞋，戴着帽子进庙里也是不礼貌的。

5　　泰国人非常重视人的头，认为它也是神圣的。所以在泰国千万不要随便摸别人的头，小孩的头也不能摸。和年纪大的人坐在一起的时候，年轻人应该坐在地上，他不能比年纪大的人的头高，否则就是不尊敬他们。

6　　大部分国家都是点头表示同意，摇头表示反对，而在印度、保加利亚等国家，人们常常一边摇头，一边微笑着表示同意。

7　　在非洲很多地方，吃饭不用刀叉，也不用筷子，而是用手抓饭。吃饭时，大家坐成一圈，饭和菜放在中间。每个人用左手按住饭盆或菜盆的边儿，用右手手指抓自己面前的饭和菜，放入口中。在非洲的不少地方，什么人吃什么往往是有讲究的。比如在马里，鸡大腿给年纪大的男人吃，鸡胸肉给年纪大的妇女吃；主人吃鸡的脖子、胃和肝；鸡的头、脚和翅膀给孩子们吃。再比如博茨瓦纳人请客的时候，客人和家里的男人吃牛肉，妇女吃下水，两种东西分开做，分开吃。

8　　亲爱的同学，你们国家有什么特别的风俗习惯呢？

一、读课文，看看在前面的练习中你猜得对不对。

二、下面各种做法是哪个国家或地方的？请把相应的字母填入方框内：

A. 巴基斯坦　　　　B. 保加利亚

C. 博茨瓦纳　　　　D. 非洲一些地方

E. 马里　　　　　　F. 日本

G. 泰国　　　　　　H. 印度

I. 中东　　　　　　J. 俄罗斯

例如：见面的时候热情拥抱三次以上。　　　　　　　A

1. 见面的时候双手合十。 □

2. 见面的时候互相鞠躬。 □

3. 握手和拿东西只能用右手，不能用左手。 □ □ □

4. 不能随便摸别人的头。 □

5. 进庙的时候，要脱鞋，也不能戴帽子。 □ □

6. 一起坐的时候，年轻人不能比年纪大的人的头高。 □

7. 吃饭的时候不用刀叉，也不用筷子，而是用手抓饭。 □

8. 请客的时候，客人和男人吃牛肉，已婚的妇女吃下水。 □

9. 摇头表示同意。 □ □

三、根据课文内容回答下面的问题：

1. 在不同的国家，人们见面时的问候方式有哪些不同？在你们国家人们见面时怎么问候？

2. 为什么在有的国家吃饭和拿东西只能用右手，不能用左手？

3. 为什么在泰国不能随便给佛像照相？

4. 在泰国，年轻人做什么老人可能会生气？

5. 在马里，吃鸡有什么讲究？

四、根据你们国家的情况回答下面的问题：

1. 在你们国家，人们信什么宗教？信佛教的人多吗？

2. 在你们国家，年轻人跟老人在一起的时候需要注意什么？

3. 在你们国家，男人和女人交往需要注意什么？

语言点

一、任何

修饰名词，一般不带"的"，意思是不论什么。常有"都"或"也"与它呼应。例如：

（1）你去**任何**国家，都应该了解当地的风俗习惯。

（2）除了父母，他不相信**任何**人。

（3）最近他对**任何**事都不感兴趣。

（4）马上就要考大学了，爸爸妈妈不让我参加**任何**活动。

◎ 你同意下面这些说法吗？你自己觉得不同的人、不同的国家有什么相同的地方？请把你的看法写在后面的横线上：

1. 世界上任何人都会有错误。

2. 任何人都希望自己长得漂亮。

3. 任何人都想不工作就有钱。

4. 任何人都怕死。

5. 任何国家都有穷人和富人。

6.任何国家都有好吃的菜。

7. _____ 。

8. _____ 。

9. _____ 。

二、否则

用于后一分句的开头，有时与"的话"一起用，表示"如果不是这样"，即对前一分句作出假设的否定，并给出由此得出的结论。例如：

(1) 你去任何国家，都应该了解当地的风俗习惯，**否则**就会闹笑话，还可能遇到麻烦。

(2) 在泰国，年轻人坐的时候不能比年纪大的人的头高，**否则**就是不尊敬他们。

(3) 小王肯定是有很重要的事情，**否则**不会半夜给你打电话。

(4) 在中国，客人一般不会把主人准备的菜吃光，**否则**主人会觉得不好意思。

(5) 现在工作的人常常需要学习，**否则**就跟不上社会的发展了。

◎ **用"否则"完成下面的句子：**

1.现在买了电脑以后，最好有杀毒软件，_____ 。

2.在动物园里玩，最好不要扔东西给动物吃，_____ 。

3.夏天不能一直呆在有空调的房间里，_____ 。

4.自己一个人在海里游泳一定要小心，_____ 。

5.去旅游的时候一定要放好你的护照，_____ 。

6.飞机起飞的时候不能打手机，_____ 。

7.我们要注意保护环境，_____ 。

三、而

连词，表示转折。连接小句，表示相对或相反的两件事。"而"只能用在后一句句首。多用于书面。例如：

(1) 东南亚的一些佛教国家，人们见面时双手合十，**而**日本人见面时一般是互相鞠躬。

(2) 大部分国家都是点头表示同意，摇头表示反对，**而**在印度、保加利亚等国家，人们常常一边摇头，一边微笑着表示同意。

(3) 在中国，北方人喜欢吃面食，**而**南方人喜欢吃米饭。

(4) 最早的电脑有30吨重，**而**现在的电脑人们可以拿在手上。

(吨 dūn, ton)

◎ 用"而"比较一下莫扎特和普通人，把比较的结果写在横线上：

2001 年 1 月，美国一家心理研究所对莫扎特和现代美国普通人的生活进行了比较。根据这个研究可以看出，普通人和莫扎特这样的天才①之间的距离有多远。

3 岁	莫扎特：对钢琴感兴趣。	普通人：开始上厕所的练习。
5 岁	莫扎特：写第一首音乐。	普通人：开始上幼儿园。
7 岁	莫扎特：为法国国王②表演。	普通人：小学二年级，在班里演一棵树。
17 岁	莫扎特：在欧洲旅行，创作③音乐。	普通人：进入职业学校，在喝啤酒比赛中胜利。
21 岁	莫扎特：开始又一次欧洲旅行。	普通人：毕业后开始工作。
26 岁	莫扎特：和康斯坦茨·韦伯结婚，创作交响乐、歌剧④等。	普通人：与某某某结婚，买了一台洗衣机。
29 岁	莫扎特：创作歌剧《费加罗的婚礼》⑤。	普通人：开始掉⑥头发。
35 岁	莫扎特：创作歌剧《魔笛》⑦，去世。	普通人：常常因为一点小事和妻子吵架。

(根据三联生活周刊 2001 年第 18、19 期文章改写)

注：① 天才　　　　　tiāncái　　　　　talented or gifted person

② 国王　　　　　guówáng　　　　　king

③ 创作　　　　　chuàngzuò　　　　create（works）

④ 歌剧　　　　　gējù　　　　　　　opera

⑤ 费加罗的婚礼　Fèijiāluó de Hūnlǐ　*the Marriage of Figaro*

⑥ 掉　　　　　　diào　　　　　　　to lose；be missing

⑦ 魔笛　　　　　Módí　　　　　　　*Magic Flute*

四、千万

务必，表示恳切的要求。用于祈使句，常和"要、不能、别"搭配使用。例如：

(1) 如果去印度或中东旅行，你吃饭或者拿东西的时候**千万**不能用左手。

(2) 在泰国**千万**不要随便摸别人的头。

(3) 公共汽车上人很多的时候**千万**要小心你的包。

(4) 明天考试别迟到，**千万**要记住。（／**千万**别忘了。）

(5) 过马路的时候**千万**要注意。

◎ **完成下面的句子：**

1. 千万别_____，对身体不好。

2. 吃饭的时候，千万_____。

3. 上课的时候，千万_____。

4. 结婚以前千万_____。

5. 结婚以后千万_____。

6. 晚上开车千万_____。

第十四课　各国迷信

◎ 试一试把下面的词语、拼音和句子连起来：

1. 保留　　xiāoshī　　A. 坐了十几个小时的飞机以后，我们_____
　　　　　　　　　　　　地到了中国。

2. 平安　　píng'ān　　B. 飞机好像有点问题，不过我们最后还是
　　　　　　　　　　　　_____到达了。

3. 发音　　shùnlì　　　C. 许多传统的东西正慢慢_____。

4. 个子　　xíngxiàng　D. 领导们一般都很注意自己的_____。

5. 倒霉　　fāyīn　　　 E. 这封信很重要，必须_____。

6. 顺利　　bǎoliú　　　F. 我认识的汉字比他多，不过我的_____
　　　　　　　　　　　　不如他好。

7. 生意　　shēngyi　　 G. 他的_____最近不太好，来买东西的
　　　　　　　　　　　　人很少。

8. 消失　　gèzi　　　　H. 因为刚刚大学毕业，所以小王_____
　　　　　　　　　　　　工作经验。

9. 形象　　quēfá　　　 I. 他的_____不太高。

10. 缺乏　　dǎo méi　　J. 真_____！昨天刚买的自行车，今天
　　　　　　　　　　　　就丢了。

词语

1. 迷信	(动)	míxìn	superstition
2. 伞	(名)	sǎn	umbrella
3. 个子	(名)	gèzi	height (of a person)：你男朋友~真矮。——我没觉得，我觉得他~不高不矮，正合适。
4. 扫	(动)	sǎo	sweep：~地｜~雪｜我们学校的路~得很干净。
5. 失去	(动)	shīqù	原来有，现在没有了 lose：~朋友｜~机会｜~权力
6. 运气	(名)	yùnqi	luck：①最近我的~太坏了，先是我的自行车丢了，然后我的电脑又坏了。｜②你~真好！你迟到了，老板也迟到了。
7. 离婚		lí hūn	和丈夫或妻子结束夫妻关系 to divorce
8. 手绢	(名)	shǒujuàn	handkerchief：一块~
9. 眼泪	(名)	yǎnlèi	哭的时候眼睛里出来的水 tear
10. 生意	(名)	shēngyi	business：做~｜谈~｜~很好｜~不错｜~人
11. 数字	(名)	shùzì	number
12. 发音	(名)	fāyīn	pronunciation：~很好｜~准确｜~很标准

13. 梯子	（名）	tīzi	ladder
14. 穿	（动）	chuān	to cross; pass through：① ～过马路你就能看见那家商店。| ② 从这儿～过去比走外边的马路近一点。
15. 倒霉		dǎo méi	运气不好 be down on one's luck：① 真～，一出去就下雨。| ② 最近～的事真不少。
16. 镜子	（名）	jìngzi	mirror：一面～ | 一块～
17. 保留	（动）	bǎoliú	to continue to have; retain：① 故宫～了很多皇帝用过的东西。| ② 这张照片我一直～着。
18. 形象	（名）	xíngxiàng	image：① 明星（star）都很注意自己的～。| ② 你怎么把头发剪了？——是啊，换了个新工作，我想有个新～。
19. 消失	（动）	xiāoshī	disappear：① 那个同学只来上了一次课，然后就～了。| ② 他们两个人结婚已经七年了，热情慢慢地～了。
20. 踩	（动）	cǎi	to step（on something）：① 刚才那个人～了我的脚也没说对不起。| ② 你的鞋真脏，把房间里的地都～脏了。
21. 屎	（名）	shǐ	excrement; shit
22. 顺利	（形）	shùnlì	smooth; without a hitch：工作～ | 路上很～

23. 最好	(副)	zuìhǎo	had better：① 我今天回家可能比较晚，你～明天来。｜② 这个坏消息～先不要告诉他家里。
24. 吉利	(形)	jílì	会带来好运气的 auspicious：① 中国人觉得红色代表～。｜② 过春节的时候，人们互相说一些～话。
25. 死亡	(动)	sǐwáng	死 to die
26. 避	(动)	bì	to avoid：～风｜～雨｜① 大人吵架的时候最好～开孩子。｜② 中国人过春节的时候，要～开"死""刀"等不吉利的词。
27. 静	(形)	jìng	没有声音 quiet：① 这里比我原来住的地方～多了。｜② 我想～～地想一想。
28. 角	(名)	jiǎo	sth. horn-shaped; corner：① 如果你家里有孩子，要小心桌子～。｜② 墙～放着一把椅子。
29. 平安	(形)	píng'ān	顺利、安全 smooth and safe：这个国家的人民都想过平平安安的生活。
一路平安		yí lù píng'ān	safe journey：祝你～。
30. 木头	(名)	mùtou	log; wood：～桌子｜～椅子｜～房子
31. 吐	(动)	tǔ	使东西从嘴里出来 to expectorate：～出来
32. 口水	(名)	kǒushuǐ	嘴里的水 saliva; spittle
33. 来自	(动)	láizì	come from; originate from：① 成功～努力。｜② 我们学院有～世界各国的学生。

34. 缺乏	（动）	quēfá	be short of; lack：① 中国的西部地区～水。｜② 现在许多城市～自己的特点。
35. 靠	（动）	kào	rely on; depend on：① 中国人常说，在家～父母，出门～朋友。｜② 他到中国留学主要～他父母的经济支持。
36. 证明	（动）	zhèngmíng	prove：① 为了～1+1=2，那位数学家花了几十年的时间。｜② 一个人很有钱并不能～他很有能力。
37. 存在	（动）	cúnzài	exist：① 这个世界上不～没有错误的人。｜② 这种新汽车～很多质量问题。

专 名

| 林肯 | | Línkěn | Abraham Lincoln |

课 文

各国迷信

世界上任何国家都有迷信，不同国家、不同文化中迷信的表现方式往往不同。

中　国

在房间里不能打伞，否则个子长不高。

新年第一天可不能扫地，否则在新的一年里会失去钱和好运气。

如果左眼跳，就会有好的事情发生；而如果右眼跳的话，就会有坏的事情发生。

结婚那天，新娘离开父母家的时候不哭不行，而且不可以和父母说再见。否则以后她会离婚再回到父母家。

在中国，送礼物给别人的时候，千万不能送手绢，因为手绢是用来擦眼泪的，它会带来伤心的事情。送礼物给做生意的人，可千万不能送书。因为"书"和"输"发音相同，做生意的人当然都不希望自己的钱输掉。

在数字方面，很多中国人不喜欢"4"，因为"4"和"死"的发音相同。如果一个人的电话号码、房间号码或汽车号码有"4"的话，他心里会很不舒服。

法　国

走路时千万不能从梯子下面穿过，否则就会倒霉。

家里的镜子可一定要放好，如果打破了，家里的人就会倒霉。法国人认为，镜子保留了人的形象，如果镜子破了，那么人的精神就会消失。

走路时不小心踩到了狗屎上，如果是左脚踩的，就会一天都顺利；如果是右脚踩的，就会一天都倒霉，这一天最好什么事都不要干。

美　国

手表突然停了可不是件吉利的事情，因为它表示死亡。据说这一说法是从1865年4月15日开始的，那天美国总统林肯被人开枪打死了，当时很多人都说他们的手表忽然停了。

美国人不喜欢数字"13"，地址一般都避开"13"。楼里没有13层，房间也没有13号。有的电影院里13号座位卖半价。

俄　罗　斯

出门去很远的地方以前，全家应该静坐1分钟，然后每人抓一抓桌子的角，千万不要扫地，这样才能一路平安。

太阳下山以后，不能借钱给别人，否则钱就要不回来了。

如果在梦里得到了一笔钱，就很吉利，这表示将来会得到更多的钱。

如果遇到不吉利的事，可以找块木头敲三下，并且向左边吐三次口水。

泰　国

睡觉时头不能朝西边，因为太阳从西边下山，这常常代表死亡；也不能用红笔写人的名字，因为泰国人死后的名字是用红笔写的。

不同的地方有不同的迷信，不过，这些迷信一般都来自人们对人、对自然的错误认识，尤其是以前人们缺乏必要的科学知识，对人和自然的理解常常靠自己的想象，其中有些想象很有道理，而有些经过科学研究，证明是错误的。不过，因为科学并不能解决所有的问题，所以，迷信肯定还会继续存在。

一、根据课文把下面的事分成"吉利"和"倒霉"两类：

A. 左眼跳　　　　　　　　B. 镜子破了

C. 从梯子下走　　　　　　D. 睡觉时头朝西边

E. 梦里得到一笔钱　　　　F. 新年第一天扫地

G. 送书给做生意的朋友　　H. 右眼跳

I. 手表停了　　　　　　　J. 左脚踩上狗屎

K. 用红笔写人的名字　　　L. 电话号码有"4"

M. 出远门前抓桌子的角　　N. 结婚那天，新娘和父母说再见

吉利

倒霉

二、根据课文内容回答下面的问题：

1. 为什么中国人认为不能在房间里打伞？

2. 在中国，结婚的时候新娘应该做什么？不能做什么？

3. 为什么在中国送礼物不能送手绢？

4. 为什么法国人认为打破镜子是件倒霉的事？

5. 为什么美国人认为手表突然停了不吉利？

6. 在美国，电影院里什么号码的座位可能比较便宜？为什么？

7. 在俄罗斯，太阳下山以后不能做什么？为什么？

8. 在俄罗斯，如果遇到不吉利的事可以怎么办？

9. 在泰国，头朝西边睡、用红笔写人的名字为什么不好？

10. 在你们国家，人们喜欢什么数字？不喜欢什么数字？为什么？

11. 在你们国家，送礼物给人的时候要注意什么？

12. 你们国家有什么迷信？现在的迷信和以前相比，有什么不同？

三、采访三个不同国家的同学（或三个中国人），了解他们国家或老家有什么迷信，把采访的结果填在下面的表中：

姓　名	国家（地区）	迷　信	
		吉利的事情	倒霉的事情

语言点

一、可

口语词，用于陈述句或祈使句中，起强调作用，强调肯定怎么样或者必须怎么样。在祈使句中，后面有时有"要、能、应该"等词配合使用。例如：

(1) 新年第一天**可**不能扫地，否则在新的一年里会失去钱和好运气。

(2) 送礼物给做生意的人，**可**千万不能送书。

(3) 家里的镜子**可**一定要放好，如果打破了，家里的人就会倒霉。

(4) 手表突然停了**可**不是件吉利的事情，因为它代表死亡。

◎ **看看课文里还有哪些句子可以用上"可"，至少写出三个：**

例如：在房间里不能打伞，否则个子长不高。

　　　→在房间里可不能打伞，否则个子长不高。

1. ＿＿＿＿＿＿＿＿＿＿＿＿＿＿＿＿＿＿＿＿＿＿＿＿＿。

　　→

2. ＿＿＿＿＿＿＿＿＿＿＿＿＿＿＿＿＿＿＿＿＿＿＿＿＿。

　　→

3. ＿＿＿＿＿＿＿＿＿＿＿＿＿＿＿＿＿＿＿＿＿＿＿＿＿。

　　→

二、如果……就

表示假设，"如果"用在第一分句，句尾可以用"的话"。

(1) **如果**左眼跳，会有好的事情发生；**如果**右眼跳的话，**就**会有坏的事情发生。

(2) 镜子**如果**打破了，家里的人**就**会倒霉。

(3) **如果**梦里得到了一笔钱，**就**很吉利，这表示将来会得到更多的钱。

(4) 人**如果**一个星期不吃饭，不一定会死，而**如果**一个星期不喝水，**就**肯定活不了。

◎　从课文里再找出至少三个用了"如果"的句子，并说说"如果"常常怎么用：

1. _____ 。

2. _____ 。

3. _____ 。

三、不……不……

常用格式是"不 A 不 B"，意思相当于"如果不 A，就不 B""如果不 A 是不 B 的"。

(1) 新娘离开父母家的时候**不**哭**不**行。（＝新娘离开父母家的时候，如果**不**哭，是**不**行的。）

(2) 事情**不**重要我就**不**这么着急了。（＝如果事情**不**重要，我就**不**会这么着急了。）

(3) 在有些国家的机场，你**不**脱鞋检查**不**能上飞机。（＝如果**不**脱鞋检查，就**不**能上飞机。）

(4) A：他**不**来参加我们的聚会吗？

　　B：你**不**请他他**不**来。（＝如果你**不**请他，他就**不**会来。）

◎ 用"不……不……"完成下面的句子：

1. 今天的考试非常重要，_____。

2. 时间已经很少了，_____。

3. 外面雨很大，_____。

4. 朋友们不停地劝我喝酒，_____。

5. 他的病越来越厉害了，_____。

四、长不高、要不回来

"动词／形容词＋不＋补语"表示不可能怎么样或没有能力怎么样。例如"长不高"意思是"不可能长高"，"要不回来"意思是"不可能要回来"，"我说不好"意思是"我没有能力说好"，口语里用得较多。

（一）请把下面的问题和回答连起来：

回　答	问　题
1. 在房间里不能打伞，否则个子会长不高。	A. 刚来中国的时候，中国人说话你听得懂吗？
2. 太阳下山后，不能借钱给别人，否则钱就要不回来了。	B. 这个问题你回答得出来回答不出来？
3. 学习外语要多听多说，否则就学不好。	C. 为什么不能在房间里打伞？
4. 弄不明白的问题应该马上问老师。	D. 学习外语要注意什么？
5. 这个问题我回答不出来。	E. 太阳下山后不能做什么？
6. 刚来的时候，中国人说话我听不懂。	F. 如果我有不明白的问题怎么办？

（二）根据例子填表，然后在每行里选一个造句：

	快	远	完	干净	到	过去
跑	跑得快 / 跑不快	跑得远 / 跑不远	–	–	跑得到 / 跑不到	跑得过去 / 跑不过去
吃						
洗						
看						
复习						
收拾						

句子 1：今天我穿的鞋不合适，跑不快_____。

句子 2：_____。

句子 3：_____。

句子 4：_____。

句子 5：_____。

句子 6：_____。

第七单元　单元练习

一、说说下面的字有什么相同的部分，请再写出几个这样的字：

例如：伞、个：都有__人__，这样的字还有：<u>今</u>天、<u>全</u>部、一<u>会</u>儿、<u>合</u>适

抓、采：都有＿＿＿＿，这样的字还有：＿＿＿＿＿＿＿＿＿＿＿

屋、屎：都有＿＿＿＿，这样的字还有：＿＿＿＿＿＿＿＿＿＿＿

闹、问：都有＿＿＿＿，这样的字还有：＿＿＿＿＿＿＿＿＿＿＿

霉、雷：都有＿＿＿＿，这样的字还有：＿＿＿＿＿＿＿＿＿＿＿

符、笑：都有＿＿＿＿，这样的字还有：＿＿＿＿＿＿＿＿＿＿＿

二、组词：

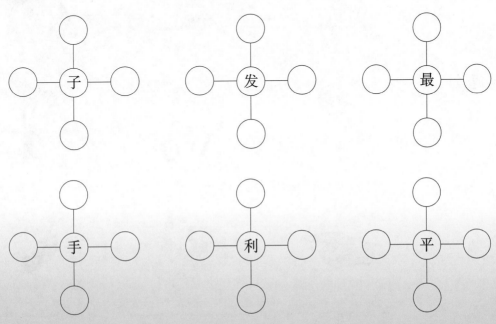

191

三、 填写合适的名词：

例如：扫 雪 ／ 地

1. 失去＿＿＿＿＿＿＿＿＿＿　　2. 遵守＿＿＿＿＿＿＿＿＿＿

3. 缺乏＿＿＿＿＿＿＿＿＿＿　　4. 重视＿＿＿＿＿＿＿＿＿＿

5. 保留＿＿＿＿＿＿＿＿＿＿　　6. 抓＿＿＿＿＿＿＿＿＿＿

四、 下面的图表示什么动作？请选择合适的动词写在图下的横线上：

握手　拥抱　微笑　合十　鞠躬　点头
摇头　抓　指　抱　剪　闻　尝　夹

例如：＿＿＿剪＿＿＿　　 ＿＿＿＿＿＿　　 ＿＿＿＿＿＿

 ＿＿＿＿＿＿　　 ＿＿＿＿＿＿　　 ＿＿＿＿＿＿

 ＿＿＿＿＿＿　　 ＿＿＿＿＿＿　　 ＿＿＿＿＿＿

 ＿＿＿＿＿＿　　 ＿＿＿＿＿＿　　 ＿＿＿＿＿＿

五、下面这些标志是什么意思？请把答案写在下面的横线上：

例如：　禁止停车　　＿＿＿＿＿＿　　＿＿＿＿＿＿　　＿＿＿＿＿＿

＿＿＿＿＿＿　　＿＿＿＿＿＿　　＿＿＿＿＿＿　　＿＿＿＿＿＿

六、下面是中国的一些情况，和你们国家一样吗？

● 在中国，女性 20 岁以上才能结婚，男性 22 岁以上才能结婚。

● 结婚必须去婚姻登记处登记。　　　（婚姻 hūnyīn：marriage

● 结婚以后，女性不用改姓。　　　　登记 dēngjì：to register）

● 一般情况下，一对夫妇只能生一个孩子。

● 孩子满一个月以前大人一般不带他（她）出门。

● 孩子满月的时候应该请客。

◎　请谈谈你们国家别的方面的情况：

1. 在你们国家，你必须……　　　　（①服兵役 fúbīngyì：serve in the army）

　● 服兵役①吗？　　　　　　　　（②驾校 jiàxiào：学习开车的学校）

　● 去驾校②学习开车吗？　　　　（③学位 xuéwèi：academic degree）

　● 在找工作的时候提供自己的学位③证书④或资格⑤证书吗？

　● 常常把身份证⑥带在身上吗？　（④证书 zhèngshū：certificate）

2. 在你们国家，你可以……　　　（⑤资格 zīgé：qualifications）

　● 在公共交通工具上吸烟吗？　（⑥身份证 shēnfènzhèng：ID card）

● 不参加保险⑦开车吗？　　　　　（⑦保险 bǎoxiǎn：insurance）

● 不到 16 岁就买烟吗？　　　　　（⑧头盔 tóukuī：helmet）

● 不戴头盔⑧骑摩托车⑨吗？　　　（⑨摩托车 mótuōchē：motorcycle）

● 没有执照⑩就养狗吗？　　　　　（⑩执照 zhízhào：license）

七、 如果你是一个岛的主人，请你给到岛上来的人作一些规定：

欢迎你来我们的岛！

● 在我们的岛上，您应该 / 必须：

　　1. _____

　　2. _____

　　3. _____

● 在我们的岛上，您不可以：

　　1. _____

　　2. _____

　　3. _____

● 在我们的岛上，您不必：

　　1. _____

　　2. _____

　　3. _____

八、写作：根据下面的材料，写一篇文章："中国 30 年代到 90 年代结婚情况调查"。要求用上下面的词语：

> 而　往往　并不　根据　当时　相当
> 比较　……的话　　以……为主

调查时间：1996 年 12 月

调查对象：北京、上海、广州、武汉四个城市的 787 名已婚市民和 233 名未婚市民。

表一：不同年代的结婚费用

单位：人民币（元）

结婚年代	平均结婚费用	费用最高水平	没花钱的人的比例%
30—40 年代	161.43	900	36.4
50—60 年代	361.59	2000	14.9
70 年代	1282.71	10000	4.5
80 年代	5486.51	50000	1.7
90 年代	21082.28	100000	0.7

表二：四城市未婚者打算用于结婚的费用

单位：人民币（元）

	总体	北京	上海	武汉	广州
平均费用	30339.12	32195.24	74112.95	21490.21	33027.08
最高费用水平	300000	300000	300000	80000	200000
不打算花钱的人比例（%）	4.4	6.2	2.8	5.9	2.7

表三：不同年代的人结婚费用来源比例（%）

	个人收入	父母支持	其　他
30—40年代	52	27	21
50—80年代	72	23	5
90年代	82	13	2

表四：不同教育水平的人结婚费用来源比例（%）

	个人收入	父母支持	其　他
小学	70	18	12
中学—大专	75	20	5
大学以上	86	11	3

表五：不同婚礼方式的比例（%）

结婚方式	旅行	请客	传统婚礼	拍结婚照	没有婚礼	其他
百分比	45.3	30.6	5.2	1.9	10.6	6.4

第八单元　单元热身活动

◎　和你的搭档一起完成下面的心理测验（xīnlǐ cèyàn, mental test）：

你带着老虎（lǎohǔ, tiger）、猴子、孔雀（kǒngquè, peacock）、大象和狗（gǒu , dog）五种动物来到一个森林（sēnlín, forest），因为周围非常危险，你不可能一直带着它们，你不得不放弃它们，你会先放弃什么动物？最后放弃什么动物？

你和你的搭档有什么不同？

（做完以后请看第 209 页关于这个测验的说明）。

第十五课　爱情玫瑰

词语

1. 爱情	（名）	àiqíng	love （between man and woman）：～故事
2. 失恋		shī liàn	失去恋爱，你爱的人不爱你了 to lose one's love：① 我的男朋友离开了我，这已经是我今年第三次～了。｜② 小王失过一次恋以后再没恋爱过。
3. 不停	（副）	bùtíng	一直（做某事）continuously：① 雨一直在～地下。｜② 孩子从早上起床到晚上睡觉～地问我为什么。｜③ 大学毕业以后，他～地换工作、换女朋友。
4. 仰	（动）	yǎng	脸向上 to face upward：① 他～着头看天上的飞机。｜② 上课的时候，明明～着脸看窗外。｜③ "干杯！"老板～起脖子喝完了杯子里的酒。
5. 感觉	（动）	gǎnjué	to feel; to perceive sense：① 我能～到这学期我的汉语水平提高了。｜② 怎么打球，你需要自己～一下。

6. 睁	（动）	zhēng	to open (the eyes)：①现在可以～开眼睛了，生日快乐！｜②风太大了，别～眼。
7. 眼前	（名）	yǎnqián	眼睛前面 before one's eyes：①我的～又出现了我们俩第一次见面时的情景。｜②～的风景真是太美了。｜③～的一切使我不敢相信我真的赢了500万块钱。
8. 玫瑰	（名）	méiguī	一种常常用来表示爱情的花 rose：一支～｜一朵～｜红～｜白～｜黄～｜蓝～
9. 因此	（连）	yīncǐ ※	therefore
10. 安慰	（动）	ānwèi	to comfort：①小王失恋了，你快去～～他吧。｜②我的护照（passport）丢了，朋友～我，让我不要着急。
11. 帮	（动）	bāng	to help：①快来～～我。｜②你能～我修一下电脑吗？
12. 献	（动）	xiàn	to present; to offer：～花｜～给大家一首歌。
13. 限制	（名）	xiànzhì	limit：①在中国，喝酒、抽烟没有年龄的～。｜②由于人数的～，每个班只有两个同学能参加最后的比赛。｜③由于时间的～，我只能说到这儿，其他问题以后有时间再谈。
14. 一生	（名）	yìshēng	从出生到死亡之间的时间 lifetime; all one's life：①好人～平安。｜②孙中山先生的～都献给了中国的革命。｜③留学改变了我的～。

15. 维持	(动)	wéichí	maintain：～原来的样子
16. 伸	(动)	shēn	to stretch; to extend：～舌头（shétou tongue）｜～手 ① 不要把头、手～出车窗外。｜② 他不好意思地～了～舌头。
17. 沉默	(形)	chénmò	不说话 silent：① 小王是一个～的人。｜② 大家都～地坐着，谁都不说话。｜③ 对这件事，你最好保持～。
18. 显然	(形)	xiǎnrán	obvious：① 她的名字叫刘京，～是在北京出生的。｜② 主人老看手表，～是希望客人离开。｜③ 姐姐双眼皮，妹妹单眼皮；姐姐热情，妹妹冷静，两人的样子、性格～都不同。
19. 依靠	(动)	yīkào	to depend on; to rely on：① 很多年轻人大学毕业以后就不再～父母，自己独立生活了。｜② ～自己才能成功。｜③ 小王～朋友找到了一份工作。
20. 闪电	(名)	shǎndiàn	lightning
21. 惊天动地		jīng tiān dòng dì	shake the earth; earth shaking：① 最近几十年中国发生了～的变化。｜② 大部分人的爱情都不像电影里的那样～。｜③ A：做什么事情才能～？B：抢（qiǎng to rob）银行。C：跟总统谈恋爱。

22. 心里	（名）	xīnli	思想里，头脑里 in mind：① 你～不高兴，嘴上又不说，我怎么知道呢？｜② 我跟小王说话，他总是点头，不知道他～在想什么。｜③ 我一定把你的话记在～。｜④ 我喜欢他，可是我不爱他，这是我的～话。
23. 恋爱	（动）	liàn'ài	男女互相爱 to love：① 他们 ～了五年才结婚。｜② ～中的男女觉得水都是甜的。
24. 立即	（副）	lìjí	immediately：① 放假以后我～回国。｜② 放下电话，小王～跑了出去。
25. 失望	（形）	shīwàng	disappointed：① 孩子没考上大学，父母很～。｜② 大家工作那么努力，可是老板还是不满意，大家都对他～了。｜③ 现在的电视节目真让我～。
26. 所※	（助）	suǒ	*used before the verb within a subject-predicate structure to turn this structure into a nominal phrase*
27. 感情	（名）	gǎnqíng	feeling; emotion：有～｜没有～｜丰富的～｜～很深
28. 作用	（名）	zuòyòng	function：起～｜有～｜～很大｜～很小｜① 茶有很多～。｜② 这种药对感冒没有～。｜③ 你觉得电视广告的～大不大？

29. 将	(副)	jiāng	将要；将会 will：① 如果不吃药，你的病～继续发展。｜② 孩子如果 12 岁以前不学习说话的话，以后～很难学会。
30. 如何	(代)	rúhé	〈书面语〉how：① 这个问题贵公司打算～解决？｜② 明年的经济～才能快速发展？
31. 对待	(动)	duìdài	to treat：① 他～客人非常热情。｜② 他～朋友像～自己的兄弟姐妹一样。｜③ 小王和小张～工作的态度不太一样。
32. 朵	(量)	duǒ	*measure word (for flower, cloud, etc.)*：一～花｜一～玫瑰｜一～云
33. 满足	(动)	mǎnzú	to meet (one's need, request, etc.)：① 我们～了你们的一切条件，你们也得～我们提出的条件。｜② 对不起，您的要求我们不能～。｜③ 小王不太有钱，不能～丽丽花钱的需要。｜④ 小王不是一个浪漫的人，不能～丽丽感情的需要。
34. 却	(副)	què	但是，可是 but：① 年轻的时候想旅行～没钱，老了以后有钱了～又不想旅行了。｜② 大家都反对这样做，小王～非常积极。｜③ 虽然南京是我的老家 (hometown)，可我～从没去过。

课 文

爱情玫瑰

　　有一天，一个失恋的男孩坐在海边。他手里拿着酒瓶，不停地仰起脖子，大口大口地喝酒。夜越来越深，空酒瓶也越来越多。终于，男孩醉了。他倒在一张长椅上，睡梦中感觉到有人向他走近。他睁开双眼，眼前站着一个美丽的女孩，手里拿着各种颜色的玫瑰花，甜甜地向他微笑。男孩告诉她自己失恋了，因此很伤心。

　　女孩便安慰他："我有办法帮你。"

　　"你怎么帮我呢？"男孩问道。

　　女孩于是拿出一支白玫瑰："你把这支玫瑰献给你喜欢的人，她就会爱上你。但是，你得注意一点，这支玫瑰对你们俩都有一个限制：女孩以后会一生都爱你，可你也要爱她一生才行！"

　　男孩听了，觉得要一生爱一个人，很难做到，再浪漫的爱情也很难维持几十年。他没有出声，也没有伸手去接女孩手中的花。

　　女孩见他沉默，知道他显然不想要白玫瑰，于是又拿出一支黄玫瑰："这支黄玫瑰跟白玫瑰不同，它不需要你一生都爱一个人。"

　　男孩听了以后很高兴，可是女孩接着又说："但是黄玫瑰对女孩的限制也不同，它也不会让女孩永远爱你，依靠它得到的爱情像闪电一样惊天动地，同样也会像闪电一样很快消失。"

　　男孩心里想，美丽的爱情怎么能立即消失呢？他有点失望。

　　女孩重新拿出一支红玫瑰，大声地说道："你可能会喜欢这支红玫瑰，它跟前面两支都不同，它只会让你所爱的人也爱上你，以后对你们的感情便完全失去作用。你们努力的话，爱情便能保持很长时间；不努力爱情将会很快消失，一切只看你们如何对待感情。"女孩笑着说，"这朵玫瑰不错吧，满足你的需要了！"

男孩却①只是失望地摇了摇头："这样不是太累了吗？"

你呢？我的朋友，你喜欢哪支玫瑰呢？

（根据夏明《魔法玫瑰》改写，选自《东西南北》）

注："却"的用法解释见第十六课。

一、根据文章内容填写下面的表格：

		男孩喜欢的方面	男孩不喜欢的方面
	白玫瑰		
	黄玫瑰		
	红玫瑰		

二、你觉得下面这些人需要课文中的什么玫瑰？

1. 她的男朋友过一段时间总会找一个新的女朋友，每次和别的人分手以后，又总会再来找她，请她原谅。她非常痛苦。

2. 男的爱女的，但是女的不爱男的。

3. 她觉得人一生只谈一次恋爱太没意思了，只有和不同的人谈恋爱才能了解什么是爱情。但是和她谈恋爱的人都要跟她结婚。唉，怎么办呢？

4. 如果课文中的女孩要送给你玫瑰，你最想要什么玫瑰？

5. 课文中的男孩需要什么样的玫瑰？请你再设计几朵爱情玫瑰：

_____玫瑰：_____

_____玫瑰：_____

语言点

一、终于

表示经过较长过程或较大的努力，最后出现某种结果。较多用于出现了希望达到的结果。例如：

(1) 夜越来越深，空酒瓶也越来越多。**终于**，男孩醉了。

(2) 他们在谈了 10 年的恋爱以后**终于**结婚了。

(3) 看了半天以后，她**终于**决定买她看到的第一双鞋，可是那双鞋已经被别人买走了。

(4) 考了 5 次，我的朋友**终于**考上了大学。

(5) 虽然遇到了不少问题，但是我们**终于**成功了。

◎ **完成下面的句子：**

1. 经过三年的努力，_____。

2. 下了一个星期的雨，＿＿＿＿＿＿＿＿＿＿＿＿＿＿＿＿＿＿＿＿。

3. 前几年我们国家的经济一直不好，＿＿＿＿＿＿＿＿＿＿＿＿＿＿＿。

4. 失败了很多次之后，＿＿＿＿＿＿＿＿＿＿＿＿＿＿＿＿＿＿。

5. ＿＿＿＿＿＿＿＿＿＿＿＿＿＿＿＿＿＿＿＿＿，终于可以离开了。

6. ＿＿＿＿＿＿＿＿＿＿＿＿＿＿＿＿＿＿＿，终于买到了合适的礼物。

7. ＿＿＿＿＿＿＿＿＿＿＿＿＿＿＿＿＿＿＿，他的病终于好了。

8. ＿＿＿＿＿＿＿＿＿＿＿＿＿＿＿＿＿＿＿，父母终于同意了。

9. ＿＿＿＿＿＿＿＿＿＿＿＿＿＿＿＿＿＿，终于找到一份满意的工作。

二、因此

用于表示结果或结论的分句，前一分句有时可以用"由于"呼应（一般不与"因为"呼应）。可以用在后一分句的主语后，也可以连接两个分句。例如：

(1) 男孩告诉女孩自己失恋了，**因此**很伤心。

(2) 我的朋友刚到中国时不会用筷子，**因此**出去吃饭遇到了不少麻烦。

(3) 城市里的人越来越多，房子也**因此**越来越贵。

(4) 这两天空气很不好，**因此**去医院看病的人也多了。

(5) 中国人喜欢数字 8，**因此**，每个月 8 号、18 号、28 号结婚的人很多。

◎ 用"因此"完成下面的句子：

1. 这个地方现在缺电，＿＿＿＿＿＿＿＿＿＿＿＿＿＿＿＿＿＿。

2. 城市的环境越来越不好，＿＿＿＿＿＿＿＿＿＿＿＿＿＿＿＿。

3. 小王知道学外语不努力就学不好，＿＿＿＿＿＿＿＿＿＿＿＿＿。

4. 他非常喜欢了解不同地方的风俗，＿＿＿＿＿＿＿＿＿＿＿＿＿＿＿。

5. 小王爱丽丽，可是丽丽不爱小王，＿＿＿＿＿＿＿＿＿＿＿＿＿＿＿。

6. 老人和年轻人的想法往往不同，＿＿＿＿＿＿＿＿＿＿＿＿＿＿＿。

7. 他们俩的性格、年龄都差不多，＿＿＿＿＿＿＿＿＿＿＿＿＿＿＿。

三、再 + 形容词

相当于"无论多……"。用于让步的假设。例如：

1. **再**浪漫的爱情也很难维持几十年。

2. **再**聪明的动物也没有人聪明。

3. **再**便宜的汽车我也买不起。

4. 电视节目**再**好看也不能从早看到晚。

5. 我穿得很多，天**再**冷也没问题。

6. 精神**再**好的人也需要睡觉。

◎ 用"**再 + 形容词**"完成下面的对话：

1. A：小王非常聪明，考大学没问题。

   B：＿＿＿＿＿＿＿＿＿＿＿＿＿＿＿＿＿＿＿＿。

2: A：他很有钱，所以买这么贵的东西没关系。

   B：＿＿＿＿＿＿＿＿＿＿＿＿＿＿＿＿＿＿＿＿。

3. A：我身体很好，不用常常锻炼。

   B：＿＿＿＿＿＿＿＿＿＿＿＿＿＿＿＿＿＿＿＿。

4. A：那个国家的经济非常发达，所以不可能有穷人。

   B：＿＿＿＿＿＿＿＿＿＿＿＿＿＿＿＿＿＿＿＿。

5. A：我开车开得非常快，所以走错了路也没关系。

    B：＿＿＿＿＿＿＿＿＿＿＿＿＿＿＿＿＿＿＿＿＿＿＿＿＿＿。

6. A：爸爸，我困了，不想做作业了。

    B：＿＿＿＿＿＿＿＿＿＿＿＿＿＿＿＿＿＿＿＿＿＿＿＿＿＿。

7. A：对不起，警察先生，我有急事，所以闯了红灯。

                            （闯 chuǎng：to rush；to dash）

    B：＿＿＿＿＿＿＿＿＿＿＿＿＿＿＿＿＿＿＿＿＿＿＿＿＿＿。

四、于是

连接分句或句子，表示后一事与前一事密切相关或是前一事的自然结果。一般前后二事都已经发生。"于是"一般出现在后一分句的开头，后边有停顿，也可以出现在主语后。例如：

(1) 女孩知道他显然不想要白玫瑰，**于是**又拿出一支黄玫瑰。

(2) 我等了他很长时间他都没来，**于是**我一个人走了。

(3) 钱都花完了，**于是**他又开始找工作了。

(4) 我担心考试迟到，**于是**很早就从家里出来了。

(5) 孩子常常丢钥匙，我**于是**让他把钥匙挂在脖子上。

◎ **用"于是"完成下面的句子：**

1. 他想出国，＿＿＿＿＿＿＿＿＿＿＿＿＿＿＿＿＿＿＿＿＿＿。

2. 我在湖边散步，突然下雨了，＿＿＿＿＿＿＿＿＿＿＿＿＿。

3. 老板想让大家都知道我们的公司，＿＿＿＿＿＿＿＿＿＿＿。

4. 听说客人吃素，＿＿＿＿＿＿＿＿＿＿＿＿＿＿＿＿＿＿＿。

5. 老师说那本书很好，_____。

6. 本来想做饭，可是冰箱里什么也没有了，_____。

五、所

助词，用于及物动词前，组成"所 + 动词"短语。该短语作用相当于一个名词，常常用作名词的定语，或直接加"的"，形成"的"字结构。多用于书面。例如：

(1) 它只会让你**所**爱的人爱上你。

(2) 很多时候我们**所**了解的情况都是从电视和报纸上来的。

(3) 上次考试**所**考的内容这次就不用复习了吧?

(4) 现在，我们**所**缺乏的不是钱，而是时间。

(5) 父母**所**担心的是我在中国吃不好。

◎ 用"所"和下面的动词填空（每个词只能用一次）：

> 问　相信　研究　关心　邀请　使用　制定

例如：小王所问的问题大家都回答不了。

1. 我们_____的人不可能全部来参加今天的会议。

2. 老人_____的问题和年轻人_____的问题常常不一样。

3. 大家开始时_____的方法现在看来有问题。

4. 最让我生气的事情是我_____的人最后骗（piàn, deceive）了我。

5. 以前_____的许多法律现在都需要改变了。

6. 许多科学家_____的问题现在好像没用，但以后我们会发现它们的价值。

第 197 页心理测验说明

孔雀代表你的伴侣、爱人；老虎代表你对金钱和权力的欲望；大象代表你的父母；狗代表你的朋友；猴子代表你的子女。这个问题的答案代表你在很困难的情况下会首先放弃什么。

第十六课　　你丈夫真好

词 语

1. 灵活	（形）	línghuó	agile：头脑很～｜动作非常～
2. 疲劳	（形）	píláo	很累 tired：身体很～｜感到非常～｜～的样子
3. 出门		chū mén	离开自己的家去外面 go out：～办事｜很少～｜①今天有雨，～得带伞。｜②我要出一趟门，马上就回来。
4. 自从※	（介）	zìcóng	从（时间）since
5. 尽量※	（副）	jǐnliàng	to the best of one's ability
6. 乘	（动）	chéng	to ride in（on）a train（bus / plane / ship）：～车｜～船｜～飞机
7. 临※	（副）	lín	很快要⋯ on the point of（*always used with a verb or verbal phrase*）：～⋯前｜～⋯时｜～⋯的时候｜～走以前｜～考试
8. 肩	（名）	jiān	shoulder
9. 转	（动）	zhuǎn	to turn：～身｜～过头（去）｜向左（右 / 后）～
10. 大姐	（名）	dàjiě	对比自己大一点的女子的称呼 *used to address a female who is older than the speaker*
11. 道谢		dào xiè	道：说；道谢：说谢谢 to express one's thanks：向⋯～

12. 歇	（动）	xiē	休息 have a rest：～一～｜～一会儿
13. 距离	（名）	jùlí	distance：①～太远，看不清楚。｜②从宿舍到东门和到南门的～差不多。｜③开车时，要注意汽车和汽车之间的～。｜④虽然现在人们有电话、手机、电脑，可人与人之间的～好像越来越远。
14. 步	（名）	bù	走路时两脚之间的距离 step：①从我家往东走几～就是一个大商店，买东西非常方便。｜②孩子不能离开妈妈一～。
15. 要命※		yào mìng	extremely; awfully：贵得～｜冷得～｜紧张得～｜怕得～
16. 汗	（名）	hàn	皮肤中出来的水 sweat：出～｜流～｜擦～
17. 意外	（形）	yìwài	没想到 unexpected：①对这次的比赛结果，大家都感到很～。｜②小王去旅行的时候，认识了他后来的妻子，真是～的收获。
18. 理解	（动）	lǐjiě	understand：①我爸爸说他不～现在的年轻人为什么老换工作。｜②小张～错了丽丽的意思，她只是喜欢他，不是爱他。｜③我这样做是没办法，希望大家能～我。
19. 夸	（动）	kuā	to praise
20. 围	（动）	wéi	to surround：①脖子上～了一条围巾（wéijīn scarf）。｜②学生们～着老师问问题。｜③孩子们～着圣诞老人要礼物。

21. 自动	（形、副）	zìdòng	automatic; of one's own accord：～门｜～开关｜～处理｜① 看到一个老人上了车，大家都～地给他让座。｜② 主人进来了以后，大家都～站起来了。｜③ 总统下了飞机，人们～地鼓掌欢迎。
22. 铺	（动）	pū	pave; to extend：① 前面在～路，不能走。｜② 新的铁路明年才能～完。｜③ 把地图～在桌子上。
23. 感动	（动）	gǎndòng	to move; to affect：① 这个爱情故事让我～得要命。女主角（zhǔjué, hero or heroine）生病的时候男主角照顾她，陪她，最后男主角～了女主角，他们俩结婚了。｜② 看到父母为自己做的一切，孩子～得哭了。
24. 心情	（形）	xīnqíng	mood：① ～的好坏跟天气有关系。｜② 我能理解你的～，但我帮不了你。｜③ 听到孩子考上大学的消息，父母～非常激动。
25. 美好	（形）	měihǎo	lovely; beautiful：～的生活｜～的感情｜～的愿望｜～的未来｜① 世界真～！｜② 大家一起努力，把我们的城市建设得更加～。
26. 糊涂	（形）	hútu	脑子不清楚 muddled; confused：① 我爷爷90岁了，脑子一点儿也不～。｜② 我真～，记错了上课的时间。
27. 先后※	（副）	xiānhòu	one after another; successively
28. 称赞	（动）	chēngzàn	to praise; to commend：① 我的朋友们都～中国的绿茶好。｜② 大家都～小王是个好丈夫。

29. 拥挤	(形)	yōngjǐ	很多人或车在一起 crowded：① 上班时间的公共汽车里非常~。｜② 买汽车的人越来越多，交通也越来越~。｜③ 孩子在~的人群中走丢了。
30. 扶	(动)	fú	support with hand：① 护士~着病人。｜② 小王~着爷爷散步。｜③ 你~住桌子，我上去修一下电灯。
31. 面	(名)	miàn	脸（一般不单用）face (*in general, it can not be used alone*)：~带笑容
32. 细心	(形)	xìxīn	careful：① 姐姐和妹妹长得一模一样，~的人才能发现她们的眼睛有点不同。｜② 考试的时候要~一点。｜③ 老张做事特别~。
33. 挥	(动)	huī	to wave：~手｜导游~着小旗招呼我们。
34. 告别	(动)	gàobié	说再见 bid farewell to：① 小王~了父母和朋友，离开了老家。｜② 总统和大家挥手~。
35. 嚷	(动)	rǎng	大声地喊 to shout：① 别~了，孩子刚睡着。｜② 丽丽大声~着告诉所有人自己要结婚的消息。｜③ 他们俩~了一晚上，吵得邻居都睡不了觉。
36. 背	(名)	bèi	back of body：~疼
37. 粘	(动)	zhān	to stick; to paste
38. 撕	(动)	sī	to tear：~了一张纸｜~破｜~碎｜~开信封｜爬山的时候，他的衣服~破了。
39. 姐夫	(名)	jiěfu	姐姐的丈夫 husband of one's elder sister

◎ 请谈谈：作为一个好丈夫或好妻子，你认为他（她）应该有什么样的条件，请你选出最重要的三个条件，并排出它们的顺序：

例如：好看、聪明、有钱、性格好、爱自己的妻子（丈夫）、工作好、
跟丈夫（妻子）有相同的爱好、会做家务、浪漫等等。

好丈夫：
_____
_____
_____

好妻子：
_____
_____
_____

课 文

你丈夫真好

一、阅读课文 1—6 段，回答下面的问题：

1. 奇奇平时出门多吗？为什么？

2. 今天奇奇要出门干什么？她怎么去？

1　奇奇怀孕已经九个月了，动作越来越不灵活，而且很容易感到疲劳，因此出门也越来越不方便。自从怀孕以后，丈夫就尽量不让奇奇出门，需要买东西时，丈夫都会替她想好、买好。今天是奇奇妈妈的生日，丈夫要上班，所以奇奇自己一个人乘公共汽车回她父母家。临出门前，丈夫让奇奇坐车的时候小心一点儿。

2　　奇奇去车站等公共汽车。刚走到车站，后面就有人轻轻拍她的肩。奇奇转过身，一个漂亮的姑娘指着车站上的长椅说："大姐，你坐吧。"

3　　奇奇连忙道谢坐下。她真的很想坐下来歇一会儿，虽然从家到车站距离不远，才十几步路，可已经累得要命了，还出了好多汗。

4　　"你丈夫真好！"漂亮姑娘笑着说。

5　　奇奇有些意外，她不理解这姑娘为什么夸自己的丈夫。

6　　公共汽车来了，围住车门的人却都不上，自动让出一条路，这条路一直铺到奇奇脚下。奇奇的脸红了，她不停地说着："谢谢！谢谢！"

3. 到车站的时候，发生了什么事情？奇奇为什么感到意外？

4. 汽车到了车站，又发生了什么事情？

5. 在你们国家，老人、孩子和怀孕的妇女坐公共汽车方便吗？他们可以得到特别的照顾吗？

二、读课文 7—16 段，回答后面的问题：

7　　奇奇上了车，很快，一个小伙子站了起来，让出了自己的座位。奇奇坐了下来，心里非常感动。今天是妈妈的生日，今天太阳特别好，心情也好，生活真美好！

8　　"你丈夫真好！祝你们幸福！"小伙子下车时突然说。

9　　奇奇说："谢谢!"心里却更糊涂了，先后听到好几个人说她丈夫好，他们怎么知道她丈夫好呢? 不过听人称赞自己的丈夫，奇奇当然非常高兴。

10　　到了站，奇奇站起来，拥挤的汽车里又让出一条路。一个妇女扶着奇奇下了车。周围的人们都面带微笑，羡慕地看着她下车。

11　　"你爱人真细心!"下车以后，那个妇女说道，"好人一生平安!"

12　　"谢谢!"奇奇心里高兴极了，车上的人都向她挥手告别。

13　　奇奇到了家。这时，小妹大嚷了一声，大家都跑了过来，原来奇奇背后粘着一张纸条，小妹小心地撕了下来，小声地念:

? ? ? ? ? ? ? ? ? ? ? ? ? ? ? ?

14　　"姐夫真好!"小妹一脸的羡慕。

15　　奇奇感动得流下了眼泪。

（根据一冰《你丈夫真好》改写，《读者》，2001 年第 4 期）

1. 车上很多人称赞奇奇，对吗?

2. 奇奇上车后发生了什么事情?

3. 请你说说奇奇在车上的心情。

4. 车到站后，人们是怎么帮助奇奇的?

5. 奇奇的妹妹为什么大声嚷嚷?

6. 请你猜猜这张纸条上写的是什么，把答案写在下面的纸条上：

三、晚上丈夫回来后，奇奇告诉他白天发生的事，下面是奇奇对丈夫说的一段话，请你排出它们的正确顺序：

A. 刚到车站，就有一个漂亮姑娘让我坐到长椅上。

B. 他下车时还夸你，说祝我们俩幸福。

C. 她还跟我说："你丈夫真好"，我当时吃了一惊，因为我没见过这个姑娘。

D. 早上你走了一会儿，我就也出门了。

E. 到了妈那儿，小妹看到我就嚷了起来。给我撕下了背上的纸条。

F. 从咱家走到车站，这点路我就累得要命，身上都出汗了。

G. 车来了以后，大家都主动让我先上。我一上车，就有个小伙子给我让座。

H. 我才明白了为什么大家都知道我有个好丈夫。

I. 那个女的又夸你真细心。弄得我越来越糊涂，说了很多"谢谢"，可是不知道为什么大家都知道你好。

J. 到了站后，车上的人都给我让路，一起下车的一个女的还扶着我。

正确的顺序：_____

四、在你们国家，女的从怀孕到生孩子，可以得到什么特别的照顾（如工作的人可以休一段时间假等）？

五、有人说婚姻是爱情的坟墓（fénmù: tomb），你同意这样的说法吗？
为什么？

语言点

一、自从

相当于"从"，表示时间的起点，一般只用于过去。后边多跟动词性短语或由"以后、以来"组成的短语。例如：

(1) **自从**怀孕以后，丈夫就尽量不让奇奇出门。

(2) **自从**1977年起，中国开始恢复高考。 （高考：上大学的考试）

(3) 王老师**自从**十年前就一直在教汉语。

(4) **自从**毕业以后，我只回过一次母校。

(5) 小王**自从**结了婚就再也没喝过酒。

(6) **自从**有了电脑，人们的生活发生了很大的改变。

◎ **完成下面的句子：**

1. 自从高中毕业后，_____。

2. 自从来了中国，_____。

3. 自从认识了他（她），_____。

4. _____，我就没有去过那儿。

5. _____，我就没见到过这位朋友。

6. _____，我一直在努力_____。

二、尽量

副词，表示在一定的范围之内力求达到最大的限度。例如：

1. 我明天**尽量**早点来。

2. 阅读汉语文章的时候，**尽量**不要查字典。

3. 不论你有什么困难，我们都会**尽量**帮你。

4. 这件事会让爸爸很生气，所以我**尽量**不让他知道。

5. 现代社会，如果希望找到一份好工作，你就要**尽量**提高自己的能力。

（一）请用"尽量"给你（未来）的孩子写几条建议：

1. _____

2. _____

3. _____

（二）一个朋友要去你的老家玩，请你给他提几条建议：

1. _____

2. _____

3. _____

三、临

用在动词前，表示某事将要发生的时候。例如：

1. **临**出门前，丈夫让奇奇坐车的时候小心一点儿。

2. 银行在**临**关门时工作的速度比较快。

3. **临**睡觉以前，我喜欢看会儿书。

4. **临**毕业的时候，很多学生每天喝酒、和朋友聚会。

◎ **完成下面的句子：**

1. 临出发以前，_____。

2. 临来中国的时候，_____。

3. 临上飞机以前，_____。

4. 临考试以前，_____。

5. 临回国之前，_____。

6. _____我要去好好玩一下。

7. _____关上窗户。

四、……得要命

常用在形容词或者表心理活动的动词后面，即"形容词／动词＋得＋要命"，表示程度达到极点。例如：

困得要命　　　饿得要命　　　吵得要命

贵得要命　　　挤得要命　　　脏得要命

难听得要命　　紧张得要命

(1) 才十几步路，可奇奇已经<u>累</u>得要命了。

(2) 奇奇心里<u>感动</u>得要命。

◎ **采访你的搭档，了解他（她）最不满意的餐厅（食堂、商店等等），和他（她）不满意的原因，然后告诉班里的其他同学。**

例如：小王最不满意的是学校里的商店。

不满意的原因是：那儿的东西贵得要命，而且他们的服务差得要命。

五、却

加强转折语气，常和"虽然……但是／不过／可是"搭配使用。注意："却"必须放在动词短语或形容词短语前边，不能放在名词性成分前边，例如：不能说"他让我别迟到，却他自己迟到了"。

(1) 公共汽车来了，围住车门的人**却**都不上。

(2) 奇奇说："谢谢!"心里**却**更糊涂了。

(3) 女孩觉得男孩会喜欢红玫瑰，可是男孩**却**失望地说："那不是太累了吗?"

(4) 他让我别迟到，但他自己**却**迟到了。

(5) 小王爱丽丽，**却**不好意思开口对丽丽说。

(6) A: 什么是爱?

　　B: 爱就是她让你气得要命，你**却**不对她嚷嚷。因为你怕她伤心。

◎　**完成下面的句子:**

1. 大家都喜欢晚上喝酒，＿＿＿＿＿＿＿＿＿＿＿＿＿＿＿＿＿。

2. 他来中国的时间虽然不长，＿＿＿＿＿＿＿＿＿＿＿＿＿＿＿。

3. 他的病很严重，大家都很担心，＿＿＿＿＿＿＿＿＿＿＿＿＿。

4. 北方人喜欢先吃饭，再喝汤，＿＿＿＿＿＿＿＿＿＿＿＿＿＿。

5. 年轻的时候想旅行却没钱，＿＿＿＿＿＿＿＿＿＿＿＿＿＿＿。

6. 我们常常让孩子不要这样，不要那样，＿＿＿＿＿＿＿＿＿＿。

六、先后

动作、行为或事件在一段时间内前后相继发生或出现。句中常有数量结构。"先后"可以用于同一主语的不同动作，如例句 (2)；也可以用于不同主语的同一动作，如例句 (3)。

(1) 在车上，**先后**好几个人夸奇奇的丈夫。

(2) 我的朋友**先后**换过五次工作，他对现在的工作比较满意。

(3) 这三家电脑公司为了做广告，**先后**都给我们送了一台电脑。

(4) 他**先后**向我借了一万块钱，到现在也没还给我。

(5) 我的同屋**先后**丢了三辆新自行车，所以他现在买了一辆很旧的。

（一）回答下面的问题，需要时请使用"先后"：

1. 除了中国，你还去过哪些国家？

2. 来中国以后你去过哪些地方？

3. 你去得最多的饭馆（商店／酒吧／网吧）是哪家？你去过多少次？

4. 你看过中国电影吗？看过哪些？

5. 最近十年你有什么收获？

6. 你们班的同学，有人去你房间玩过吗？

7. 你有很努力做，但是没有成功的事情吗？

（二）下面是王大伟的简历，请用"先后"介绍一下他的经历：

王大伟	
1982—1986	在美国上大学
1986—1989	在英国读研究生
1990—1991	在中国学汉语
1991—1993	美国 IBM 公司工程师
1994—1996	香港 IBM 公司经理
1997—1999	上海大学教授
2000—现在	北京大学教授

例如：他先后学过汉语和日语。

_____

_____

_____

_____

_____

_____

第八单元　单元练习

一、说说下面的字有什么相同的部分，请再至少写出四个这样的字：

例如：肯、步：都有__止__，这样的字还有：正在、一些、从此、牙齿

仰、即：都有_____，这样的字还有：_____

恋、京：都有_____，这样的字还有：_____

夸、太：都有_____，这样的字还有：_____

献、然：都有_____，这样的字还有：_____

撕、所：都有_____，这样的字还有：_____

二、组词：（至少三个）

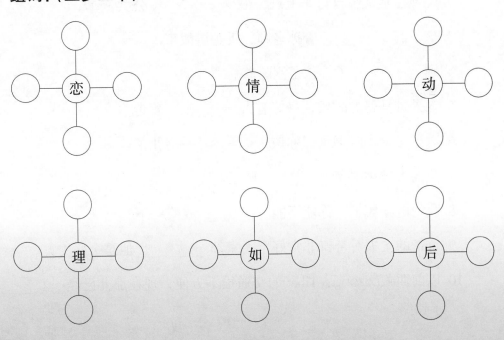

三、词语练习：

（一）把 A、B 两列词用线连起来：

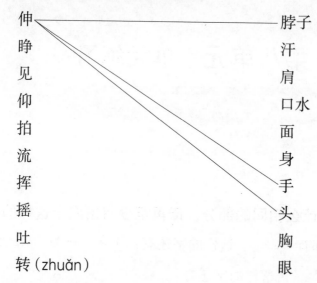

（二）选择合适的动词填空：

乘 扶 临 铺 嚷 撕 围 歇 帮 献 夸 按

1. 爸爸喜欢在_____睡觉前看会儿书。

2. 她现在常常骑自行车上班，很少_____公共汽车。

3. 孩子们_____着孙老师，听她讲故事。

4. 别_____了，孩子刚睡着。

5. 老人过马路的时候，最好有人_____着走。

6. 看了三个小时书了，你该_____一会儿了。

7. 我的书被小弟弟_____破了。

8. 我的电脑坏了，你能不能_____我修一下？

9. 奇奇的丈夫对奇奇非常好，大家都_____他是个好丈夫。

10. 以前西藏(xīzàng：Tibet)的交通很不方便，现在那儿已经_____
    了铁路。

（三）选择合适的形容词填空：

> 糊涂 灵活 意外 美好 拥挤 细心 平安 疲劳

我爷爷今年 90 岁了，可是他的身体还非常好，手脚很_____，脑子也不_____。只要天气好，他就要出去逛逛。一般情况下，他就在附近走走，有时也乘车去远一点的地方。我们有时候担心他走多了太_____，还有现在路上的车多，怕他发生_____，就劝他少出门。可是，他总是笑着说："你们放心，我每天不是都_____到家了吗？爷爷活到 90 岁了，做事情一直很_____的。你们不要担心。"

四、阅读下面的文章并完成后面的练习：

爱就是这样开始的

借 书

在以前的小说或者电影里，浪漫爱情经常是从借书开始的。没想到我自己的爱情故事也这样开始。他每次来找我都借书，还给我的书总是保护得很好。后来在他还来的书里夹着一张纸条，上面写着"我喜欢你"，还画着一颗红心。

保护 bǎo hù：protect

颗 kē：*measure word*

照片的作用

我在大二的时候就喜欢上了她，很想追她，但不知道她对我有没有感觉。于是，我找了一张她的照片，放大以后摆在自己的桌子上。她来玩的

大二：大学二年级

追 zhuī：chase

自然 zìrán：naturally

道歉 dào qiàn：apologize

时候，我请她坐在桌前，然后说要去洗苹果，故意走开了。她在翻看我桌上的书时，自然看到了自己的照片。她好像很吃惊，但我看得出来，她心里实际上很高兴。这时我走过去道歉说："不好意思。我喜欢就这么做了，如果你不高兴的话，我马上就拿掉。"她连忙说："别，别，挺好的，我家里还有更好的，明天我拿给你！"她对我的感觉就这样得到了证明。

先和狗交朋友

那时她经常在晚上带着她的小狗来公园散步，我先和它成了好朋友，后来和她也成了好朋友。有一天，我们俩坐在长椅上休息时，我拍了拍小狗，对它说："告诉你的主人，你还需要一位男主人照顾。"

摔 shuāi：to fall; tumble

石头 shítou：stone

吻 wěn：to kiss

摔出来的爱情

一天晚上，我们俩在公园里散步，天特别黑，我不小心踢到了一块石头，重重地摔了下去。他急忙伸手抱住了我，接着他很自然地吻了我。这是他第一次吻我，从此我们俩的感情又进了一步。

要抓住男人的心，先抓住他的胃

她根本不会做饭，却常常跟我大谈怎么做各种好吃的，并且坚持要给我做，结果做了一盘黑乎乎的牛排，一碗咸得要命的鸡蛋汤。虽然她没能满足我的胃，却感动了我的心。

盘 pán：*measure word*
黑乎乎 hēihūhū：很黑的样子。
牛排 niúpái：beefsteak
咸 xián：salty

"和你一样的"

有一天她问我："你将来想找一个什么样的女朋友？"我知道她想了解我对她的感情，便回答说："和你一样高的，和你一样重的，嘴和你一样小的，脸和你一样圆的，皮肤和你一样白的……""这样的有几个呀？"她不让我再说了，"有一个就够了，我只爱你，相信我！"她虽然嘴上骂我坏，但那天她却笑得最开心。

骂 mà：scold
开心 kāixīn：高兴。

（根据天渐光《记忆中 10 个经典的爱》改写，《青年文摘》2000 年第 12 期）

（一）上面的故事哪些是女孩写的？哪些是男孩写的？

女孩写的	男孩写的

（二）上面的故事哪些是男孩追女孩？哪些是女孩追男孩？

男孩追女孩	女孩追男孩

（三）采访你的搭档，请他（她）谈谈自己或他（她）熟悉的人追女（男）
　　　朋友用过的不同方式。他（她）最喜欢哪种方式？你呢？

方式 1：_____

方式 2：_____

方式 3：_____

五、写作：请你写一个自己或者别人的爱情故事，可以有想象的内容。

语言点索引

B

比较	6
并不 / 并没（有）	12
……不了	5
不……不……	14
不得不	11
不过	1
不好意思	8
不仅……而且	1
不如	3
不一定	4
不一会儿	7

C

曾经	3
从来	6

D

当时、当年	9
……的话	12
……得要命	16
动词 + 得起 / 不起	11
地方	4

E

而	13

F

方面	9
否则	13

G

感兴趣	7

G

根本	7
根据	10
故意	10

H

好好儿	2

J

既……又	4
尽管 + 动词	8
尽管……可	5
尽量	16

K

可	14
可能补语（长不高、要不回来）	14
肯	11

L

离合词	1
连忙	8
临	16

N

难道	7
弄	10

Q

(笑) 起来	5
起来 (闻~臭，吃~香)	11
千万	13
却	16

R

任何	13

如果……就		14
S		
上（动词~）		9
所		15
T		
替		3
挺……的		2
往往		12
为了		6
X		
先……然后		5
先后		16
相当		7
Y		
一……也不（没）		2

以……为主		11
因此		15
尤其		2
由于		3
于是		15
越来越		1
Z		
再 + 形容词		15
之后、之前、之间		7
只要……就		11
终于		15
自从		16
左右		4
作为		10

词语总表

A

爱好	(名)	àihào	7
爱情	(名)	àiqíng	15
安全	(形)	ānquán	6
安慰	(动)	ānwèi	15
按	(动)	àn	13

B

白菜	(名)	báicài	11
半夜	(名)	bànyè	11
帮	(动)	bāng	15
帮忙		bāng máng	3
保留	(动)	bǎoliú	14
背	(名)	bèi	16
鼻子	(名)	bízi	1
比如	(动)	bǐrú	4
必要	(形)	bìyào	2
毕业		bì yè	1
避	(动)	bì	14
便	(副)	biàn	8
辫子	(名)	biànzi	9
标准	(形)	biāozhǔn	3
脖子	(名)	bózi	13
菠萝	(名)	bōluó	9
不过	(连)	búguò	1
不好意思		bù hǎoyìsi	8
不仅	(连)	bùjǐn	1
不少	(形)	bùshǎo	2
不停	(副)	bùtíng	15

不一定		bù yídìng	4
步	(名)	bù	16

C

猜	(动)	cāi	1
踩	(动)	cǎi	14
菜单	(名)	càidān	3
残酷	(形)	cánkù	10
厕所	(名)	cèsuǒ	13
曾经	(副)	céngjīng	3
叉（子）	(名)	chā (zi)	13
差不多	(形、副)	chàbuduō	2
尝	(动)	cháng	11
唱片	(名)	chàngpiàn	7
吵	(动)	chǎo	8
吵架		chǎo jià	1
炒	(动)	chǎo	3
沉默	(形)	chénmò	15
称赞	(动)	chēngzàn	16
成功	(动)	chénggōng	6
成立	(动)	chénglì	9
成熟	(形)	chéngshú	6
成为	(动)	chéngwéi	9
承认	(动)	chéngrèn	6
乘	(动)	chéng	16
吃惊		chī jīng	4
翅膀	(名)	chìbǎng	11
重复	(动)	chóngfù	3
重新	(副)	chóngxīn	10
臭	(形)	chòu	11
出门		chū mén	16
出生	(动)	chūshēng	5
除	(动)	chú	10
厨房	(名)	chúfáng	7

穿	(动)	chuān	14
传统	(名)	chuántǒng	10
春节	(名)	Chūn Jié	1
从此	(连)	cóngcǐ	9
从来	(副)	cónglái	6
聪明	(形)	cōngming	9
醋	(名)	cù	11
存在	(动)	cúnzài	14

D

大胆	(形)	dàdǎn	8
大姐	(名)	dàjiě	16
大排档	(名)	dàpáidàng	11
呆	(动)	dāi	3
单	(形)	dān	5
担心		dān xīn	1
但	(连)	dàn	4
当地	(名)	dāngdì	13
当年	(名)	dāngnián	9
当时	(名)	dāngshí	5
倒霉		dǎo méi	14
道谢		dào xiè	16
…的话		…dehuà	12
地方	(名)	dìfang	4
地区	(名)	dìqū	12
地图	(名)	dìtú	9
地址	(名)	dìzhǐ	5
电脑	(名)	diànnǎo	1
调查	(动)	diàochá	11
盯	(动)	dīng	7
东北	(名)	dōngběi	3
懂得	(动)	dǒngde	8
动词	(名)	dòngcí	4
动作	(名)	dòngzuò	3

斗争	(动)	dòuzhēng	6
豆腐	(名)	dòufu	11
独立	(形)	dúlì	6
肚	(名)	dǔ	3
锻炼	(动)	duànliàn	2
对	(量)	duì	5
对待	(动)	duìdài	15
对话	(动)	duìhuà	3
炖	(动)	dùn	11
朵	(量)	duǒ	15

E

儿童	(名)	értóng	4
而	(连)	ér	13

F

发音	(名)	fāyīn	14
法律	(名)	fǎlǜ	9
饭馆	(名)	fànguǎn	3
方	(形)	fāng	12
方式	(名)	fāngshì	13
方言	(名)	fāngyán	3
房子	(名)	fángzi	6
放弃	(动)	fàngqì	6
费用	(名)	fèiyòng	11
份	(量)	fèn	1
风俗	(名)	fēngsú	12
疯	(形)	fēng	8
佛教	(名)	Fójiào	13
佛像	(名)	fóxiàng	13
否则	(连)	fǒuzé	13
夫妻	(名)	fūqī	5
扶	(动)	fú	16
符合	(动)	fúhé	11

妇女	(名)	fùnǚ	10
富强	(形)	fùqiáng	9

G

改革	(动)	gǎigé	9
干杯		gān bēi	12
肝	(名)	gān	3
感动	(动)	gǎndòng	16
感激	(动)	gǎnjī	3
感觉	(动)	gǎnjué	15
感情	(名)	gǎnqíng	15
感兴趣		gǎn xìngqù	7
高级	(形)	gāojí	6
告别	(动)	gàobié	16
革命	(名)	gémìng	9
个子	(名)	gèzi	14
根本	(形)	gēnběn	7
根据	(动)	gēnjù	10
公司	(名)	gōngsī	1
公元	(名)	gōngyuán	10
共同	(形)	gòngtóng	7
古典	(形)	gǔdiǎn	7
鼓励	(动)	gǔlì	8
故意	(形)	gùyì	10
官	(名)	guān	11
光	(形)	guāng	12
广告	(名)	guǎnggào	1
逛	(动)	guàng	2
规定	(名)	guīdìng	9
国际	(形)	guójì	2
过程	(名)	guòchéng	12

H

寒冷	(形)	hánlěng	11

汗	（名）	hàn	16
好好儿	（副）	hǎohāor	2
好久	（名）	hǎojiǔ	8
好听	（形）	hǎotīng	7
好	（动）	hào	3
号码	（名）	hàomǎ	5
合	（动）	hé	13
盒子	（名）	hézi	7
猴（子）	（名）	hóu (zi)	1
后来	（名）	hòulái	4
糊涂	（形）	hútu	16
护士	（名）	hùshi	5
环境	（名）	huánjìng	2
皇帝	（名）	huángdì	9
皇后	（名）	huánghòu	10
灰	（形）	huī	4
恢复	（动）	huīfù	1
挥	（动）	huī	16
回信		huí xìn	1
或	（连）	huò	12

J

积极	（形）	jījí	6
激动	（形）	jīdòng	5
几乎	（副）	jīhū	3
吉利	（形）	jílì	14
急忙	（形）	jímáng	7
记得	（动）	jìde	1
纪念	（动）	jìniàn	9
既…又		jì…yòu	4
夹	（动）	jiā	12
坚强	（形）	jiānqiáng	6
肩	（名）	jiān	16
剪	（动）	jiǎn	9

将	(副)	jiāng	15
讲究	(形)	jiǎngjiu	12
交换	(动)	jiāohuàn	5
交流	(动)	jiāoliú	2
交通	(名)	jiāotōng	2
交响乐	(名)	jiāoxiǎngyuè	7
角	(名)	jiǎo	14
结婚		jié hūn	1
姐夫	(名)	jiěfu	16
解释	(动)	jiěshì	3
金	(名)	jīn	5
仅	(副)	jǐn	10
尽管	(连)	jǐnguǎn	5
尽管	(副)	jǐnguǎn	8
尽量	(副)	jǐnliàng	16
禁止	(动)	jìnzhǐ	9
惊天动地		jīng tiān dòng dì	15
惊喜	(形)	jīngxǐ	8
竞争	(动)	jìngzhēng	6
静	(形)	jìng	14
镜子	(名)	jìngzi	14
酒家	(名)	jiǔjiā	11
鞠躬		jū gōng	13
据说		jù shuō	11
距离	(名)	jùlí	16
卷	(动)	juǎn	5

K

开水	(名)	kāishuǐ	11
砍	(动)	kǎn	10
砍价		kǎn jià	2
看来	(连)	kànlái	2
烤	(动)	kǎo	11
靠	(动)	kào	14

可爱	(形)	kě'ài	5
可以	(形)	kěyǐ	2
克隆	(动)	kèlóng	7
客人	(名)	kèren	12
肯	(助动)	kěn	11
肯定	(形)	kěndìng	5
空儿	(名)	kòngr	1
控制	(动)	kòngzhì	10
口水	(名)	kǒushuǐ	14
口音	(名)	kǒuyīn	3
夸	(动)	kuā	16
快乐	(形)	kuàilè	6
筷子	(名)	kuàizi	13

L

辣	(形)	là	9
来自	(动)	láizì	14
懒	(形)	lǎn	6
浪漫	(形)	làngmàn	8
老百姓	(名)	lǎobǎixìng	11
老板	(名)	lǎobǎn	1
乐观	(形)	lèguān	6
冷静	(形)	lěngjìng	6
离婚		lí hūn	14
礼貌	(名)	lǐmào	13
理解	(动)	lǐjiě	16
理想	(名)	lǐxiǎng	6
立即	(副)	lìjí	15
连忙	(副)	liánmáng	8
恋爱	(动)	liàn'ài	15
凉	(形)	liáng	12
聊天儿		liáo tiānr	3
邻居	(名)	línjū	8
临	(副)	lín	16

临时	（形）	línshí	9
灵活	（形）	línghuó	16
另	（形）	lìng	4
流利	（形）	liúlì	3
录音机	（名）	lùyīnjī	8

M

满足	（动）	mǎnzú	15
猫	（名）	māo	11
玫瑰	（名）	méiguī	15
美好	（形）	měihǎo	16
美丽	（形）	měilì	8
梦	（名）	mèng	8
梦想	（名）	mèngxiǎng	6
迷	（名）	mí	8
迷信	（动）	míxìn	14
面	（名）	miàn	16
庙	（名）	miào	10
名词	（名）	míngcí	4
明白	（动）	míngbai	2
明亮	（形）	míngliàng	5
命运	（名）	mìngyùn	6
摸	（动）	mō	3
母语	（名）	mǔyǔ	4
木头	（名）	mùtou	14

N

内向	（形）	nèixiàng	6
耐心	（名）	nàixīn	11
难道	（副）	nándào	7
难民	（名）	nànmín	6
脑子	（名）	nǎozi	7
闹笑话		nào xiàohua	12
能力	（名）	nénglì	10

年龄	(名)	niánlíng	6
弄	(动)	nòng	10

P

胖	(形)	pàng	6
陪	(动)	péi	12
盆	(名)	pén	13
皮肤	(名)	pífū	5
疲劳	(形)	píláo	16
平安	(形)	píng'ān	14
一路平安		yílù píng'ān	14
平等	(形)	píngděng	9
平时	(名)	píngshí	9
铺	(动)	pū	16
普通	(形)	pǔtōng	11
普通话	(名)	pǔtōnghuà	3

Q

妻子	(名)	qīzi	10
其他	(代)	qítā	12
其中	(名)	qízhōng	11
奇怪	(形)	qíguài	3
千万	(副)	qiānwàn	13
敲	(动)	qiāo	5
巧	(形)	qiǎo	7
茄子	(名)	qiézi	1
亲爱	(形)	qīn'ài	13
亲戚	(名)	qīnqi	5
轻松	(形)	qīngsōng	6
情人	(名)	qíngrén	10
请客		qǐng kè	12
去世	(动)	qùshì	10
圈	(名)	quān	13
权力	(名)	quánlì	10

劝	(动)	quàn	12
缺乏	(动)	quēfá	14
却	(副)	què	15
确定	(动)	quèdìng	4

R

嚷	(动)	rǎng	16
热爱	(动)	rè'ài	8
热闹	(形)	rènao	12
人口	(名)	rénkǒu	9
任何	(代)	rènhé	13
扔	(动)	rēng	7
日记	(名)	rìjì	2
如果	(连)	rúguǒ	3
如何	(代)	rúhé	15
入乡随俗		rù xiāng suí sú	13
入座	(动)	rùzuò	12
软弱	(形)	ruǎnruò	10

S

伞	(名)	sǎn	14
扫	(动)	sǎo	14
闪电	(名)	shǎndiàn	15
伤心		shāng xīn	5
上网		shàng wǎng	2
烧	(动)	shāo	7
蛇	(名)	shé	11
伸	(动)	shēn	15
神	(名)	shén	9
神圣	(形)	shénshèng	13
生气		shēng qì	1
生意	(名)	shēngyi	14
圣诞节		Shèngdàn Jié	1
失恋		shī liàn	15

失去	(动)	shīqù	14
失望	(形)	shīwàng	15
实际	(名)	shíjì	10
实际上	(副)	shíjìshang	10
食品	(名)	shípǐn	13
屎	(名)	shǐ	14
适应	(动)	shìyìng	2
收获	(名)	shōuhuò	2
手绢	(名)	shǒujuàn	14
手续	(名)	shǒuxù	2
手指	(名)	shǒuzhǐ	13
首先	(副)	shǒuxiān	2
瘦	(形)	shòu	1
蔬菜	(名)	shūcài	9
熟悉	(动)	shúxī	2
数字	(名)	shùzì	14
涮	(动)	shuàn	11
双	(形)	shuāng	5
顺利	(形)	shùnlì	14
顺序	(名)	shùnxù	4
司机	(名)	sījī	1
撕	(动)	sī	16
死亡	(动)	sǐwáng	14
素	(形)	sù	1
随便	(形)	suíbiàn	12
碎	(形)	suì	7
所	(助)	suǒ	15

T

坛子	(名)	tánzi	10
特点	(名)	tèdiǎn	12
特殊	(形)	tèshū	12
梯子	(名)	tīzi	14
题	(名)	tí	2
替	(介)	tì	3

甜	(形)	tián	5
填	(动)	tián	2
通	(名)	tōng	2
统治	(动)	tǒngzhì	9
痛苦	(形)	tòngkǔ	2
头	(形)	tóu	2
头发	(名)	tóufà	5
土豆	(名)	tǔdòu	11
吐	(动)	tǔ	14

W

外地	(名)	wàidì	11
玩具	(名)	wánjù	5
网	(名)	wǎng	2
往往	(副)	wǎngwǎng	12
微笑	(动)	wēixiào	5
围	(动)	wéi	16
维持	(动)	wéichí	15
味道	(名)	wèidào	11
闻	(动)	wén	11
问候	(动)	wènhòu	13
无情	(形)	wúqíng	10

X

西红柿	(名)	xīhóngshì	3
细心	(形)	xìxīn	16
下班		xià bān	8
下水	(名)	xiàshui	3
先后	(名)	xiānhòu	12
先后	(副)	xiānhòu	16
显然	(形)	xiǎnrán	15
县	(名)	xiàn	
限制	(名)	xiànzhì	15
羡慕	(动)	xiànmù	8

献	(动)	xiàn	15
相当	(形)	xiāngdāng	7
相互	(副)	xiānghù	13
相同	(形)	xiāngtóng	4
享受	(动)	xiǎngshòu	6
想象	(动)	xiǎngxiàng	2
消失	(动)	xiāoshī	14
小吃	(名)	xiǎochī	11
小说	(名)	xiǎoshuō	9
小心	(形)	xiǎoxīn	7
歇	(动)	xiē	16
心里	(名)	xīnli	15
心理	(名)	xīnlǐ	4
心情	(名)	xīnqíng	16
新鲜	(形)	xīnxiān	11
兴奋	(形)	xīngfèn	7
形象	(名)	xíngxiáng	14
形状	(名)	xíngzhuàng	7
胸	(名)	xiōng	13
修	(动)	xiū	7
…学		…xué	4
雪白	(形)	xuěbái	5
血压	(名)	xuèyā	1

Y

鸭（子）	(名)	yā (zi)	11
严肃	(形)	yánsù	3
眼泪	(名)	yǎnlèi	14
眼皮	(名)	yǎnpí	5
眼前	(名)	yǎnqián	15
仰	(动)	yǎng	15
邀请	(动)	yāoqǐng	12
摇	(动)	yáo	13
要命		yào mìng	16

业余	（形）	yèyú	7
一模一样		yì mú yí yàng	7
一生	（名）	yìshēng	15
医学	（名）	yīxué	9
依靠	（动）	yīkào	15
以外	（名）	yǐwài	3
意外	（形）	yìwài	16
因此	（连）	yīncǐ	15
印象	（名）	yìnxiàng	6
拥抱	（动）	yōngbào	13
拥挤	（形）	yōngjǐ	16
优美	（形）	yōuměi	8
尤其	（副）	yóuqí	2
由于	（介）	yóuyú	3
油	（形）	yóu	1
有用	（形）	yǒuyòng	3
愿望	（名）	yuànwàng	9
阅读	（动）	yuèdú	2
越来越		yuèláiyuè	1
运气	（名）	yùnqi	14

Z

噪音	（名）	zàoyīn	8
粘	（动）	zhān	16
丈夫	（名）	zhàngfu	5
招呼	（动）	zhāohu	12
照片	（名）	zhàopiàn	1
哲学	（名）	zhéxué	9
睁	（动）	zhēng	15
整个	（形）	zhěnggè	10
证明	（动）	zhèngmíng	14
之后		zhīhòu	7
之间		zhījiān	7
之前		zhīqián	7

直	(形、副)	zhí	3、5
制定	(动)	zhìdìng	9
治	(动)	zhì	9
中餐	(名)	zhōngcān	12
终于	(副)	zhōngyú	7
重视	(动)	zhòngshì	13
主动	(形)	zhǔdòng	13
主人	(名)	zhǔrén	12
煮	(动)	zhǔ	7
抓	(动)	zhuā	13
专家	(名)	zhuānjiā	4
转	(动)	zhuǎn	16
状况	(名)	zhuàngkuàng	6
准确	(形)	zhǔnquè	2
紫	(形)	zǐ	4
自从	(介)	zìcóng	16
自动	(形、副)	zìdòng	16
自由	(形)	zìyóu	8
宗教	(名)	zōngjiào	13
棕	(形)	zōng	4
总统	(名)	zǒngtǒng	9
租	(动)	zū	8
最好	(副)	zuìhǎo	14
醉	(动)	zuì	12
尊敬	(动)	zūnjìng	13
遵守	(动)	zūnshǒu	13
左右	(助)	zuǒyòu	4
作为	(介)	zuòwéi	10
作用	(名)	zuòyòng	15
座位	(名)	zuòwèi	12
做法	(名)	zuòfǎ	1
做客		zuò kè	12